Ivanhoe

Walter Scott

Ivanhoe

grijalbo

IVANHOE

Adaptación literaria: Otto-Raúl González Coronado

Calz. San Bartolo Naucalpan núm. 282
Argentina Poniente, C.P. 11230
Miguel Hidalgo, México, D.F.

ISBN 970-05-1077-8

Impresión y encuadernación:
Printer Colombiana S.A.

Impreso en Colombia — Printed in Colombia

Índice

Capítulo 1

Los últimos rayos del sol entrando en su ocaso se filtraban entre las copas de los árboles del bosque, llenándolo de irisadas agujas luminosas que asaeteaban el suelo por entre los ramajes de los añosos robles, abedules y acebos. Los árboles de aquel bosque quizás habían contemplado, impávidos y solemnes, la marcha triunfal de los invictos ejércitos romanos. En algunas partes se separaban formando espacios profundos con los que la vista se deleitaba mientras la imaginación se entretenía considerándolos caminos que conducen a los sitios más selváticos y solitarios. Un gran espacio abierto en el centro de este bosque parecía haber sido consagrado a los ritos del culto de los antiguos druidas, porque en la cima de una pequeña colina, de forma tan regular que parecía obra de la mano del hombre, se veían los restos de un círculo de enormes piedras sin tallar.

Dos figuras humanas formaban parte de este paisaje; su aspecto y sus vestiduras evidenciaban la rusticidad por la cual se reconocía, en aquellos tiempos remotos, a los habitantes de la parte arbolada del West-

❖ ❖ ❖ ❖

Riding de Yorkshire. El de más edad, de aspecto desagradable, vestía una especie de chaqueta ajustada, hecha de piel curtida, pero cuyo pelo escaseaba ya en tantos sitios que no habría podido decirse a qué animal había pertenecido. Esta vestidura primitiva cubría desde el cuello hasta las rodillas; en la parte superior no tenía más que una abertura, de anchura suficiente para poder pasar la cabeza. Sandalias hechas con piel de jabalí protegían los pies del hombre; y un rollo de fina piel rodeaba cada una de sus piernas, y ascendiendo más arriba de las pantorrillas dejaban la rodilla desnuda, como los montañeses escoceses. Sobre su atavío se observaba un collar de cobre, parecido al de un perro y bastante holgado para no dificultar su respiración ni sus movimientos, en el cual se leía la siguiente inscripción, grabada con caracteres sajones: "Gurth, hijo de Beowulph, esclavo nativo de Cedric de Rothergwood".

Junto a este cuidador de cerdos, que tal era la ocupación de Gurth, estaba sentado en una de las piedras druídicas un hombre que aparentaba tener unos diez años menos y cuya vestimenta, aunque similar a la de su compañero, era de mejor clase y más elaborada. Su chaqueta era de color púrpura brillante y en ella se había intentado pintar ornamentos de los colores más disparatados y chillones. Llevaba puesta una capa corta que le llegaba a los muslos y era de tela carmesí llena de manchas, orlada con una franja de color amarillo

❖ ❖ ❖ ❖

vivo. Tenía los brazos adornados con delgadas pulseras de plata y rodeaba su cuello un collar del mismo metal, en el cual estaban grabadas estas palabras: "Wamba, hijo de Witless, esclavo de Cedric de Rotherwood". Las sandalias de este grotesco personaje eran parecidas a las de Gurth, pero cubría sus piernas con una especie de botines, de los cuales uno era encarnado y el otro amarillo. Sobre la cabeza traía un gorro adornado con cascabeles semejantes a los que se ponían a los halcones. Los de Wamba sonaban constantemente, de medio loco y tanta era su movilidad. La característica de este gorro y la expresión maliciosa de Wamba indicaban suficientemente que pertenecía a esa especie de payasos o bufones domésticos con que los grandes entretenían las horas que se veían obligados a pasar en sus castillos. Como su compañero, tenía un saco pendiente del cinturón, pero no se le veía cuerno ni cuchillo de caza alguno, quizá porque se creyera imprudente confiar armas a esta clase de hombres. En vez de cuchillo portaba un sable de madera.

Estos dos hombres contrastaban también por su aspecto y su comportamiento. La frente de Gurth parecía cargada de pesadumbres; bajaba la cabeza con una especie de abatimiento, que se habría podido tomar por apatía si el fuego que se veía brillar en sus ojos, cuando los levantaba, no hubiese indicado el deseo, si no la firme voluntad, de acabar con su opre-

❖ ❖ ❖ ❖

sión. Wamba sólo demostraba una curiosidad vaga y la satisfacción que le inspiraba el puesto que ocupaba y el traje con que iba vestido. Conversaban en anglosajón, por cierto animada y amistosamente.

—¡Que la maldición de san Vitoldo caiga sobre esa miserable piara! —exclamó Gurth, después de haber tocado repetidas veces el cuerno para reunir a sus cerdos desparramados—. ¡Que la maldición de san Vitoldo caiga sobre ellos y sobre mí! Si el lobo de dos patas llamado hombre no me atrapa alguna de estas noches, dejo de llamarme Gurth. ¡Ven acá *Fangs*, ven acá! —gritó a un perro de gran talla, mezcla de mastín y lebrel, que dispersaba a los cerdos ante él en vez de reagruparlos—. Vamos, Wamba, levántate y, si eres amigo, préstame ayuda. Da la vuelta a la colina para reunir mis animales.

—Te diré la verdad —respondió Wamba, sin moverse—. He consultado a mis piernas sobre esto, y una y otra están de acuerdo en que exponer mi adornado atuendo en esas zanjas llenas de fango equivaldría a cometer un acto de deslealtad hacia mi persona soberana y mi guardarropa real. Así es que te aconsejo, Gurth, que llames a *Fangs* y abandones tu piara a su destino; y lo mismo si tropiezan con un regimiento de soldados, que con una partida de proscritos o un grupo de peregrinos, a los animales no hay quien los salve de ser transformados mañana en normandos, lo cual no dejará de ser un pequeño alivio para ti.

❖ ❖ ❖ ❖

—¡Mis cerdos transformados en normandos...! —exclamó Gurth—. Explícame eso, Wamba; no tengo el cerebro tan despejado ni el corazón lo bastante contento para descifrar enigmas.

—¿Cómo llamas tú a esos animales de cuatro patas que corren gruñendo?

—Cerdos, loco, cerdos; no hay ningún hombre por muy loco que esté que no lo sepa.

—Y cerdo es una palabra dicha en buen sajón. Pero cuando el cerdo está degollado, desollado, cortado en cuartos y colgado por las pezuñas a un garfio como un traidor, ¿cómo lo llamas tú en sajón?

—Puerco —respondió Gurth.

—Encantado —dijo Wamba— de que no haya ningún loco que no lo sepa; y *puerco*, según entiendo, es buen término franco—normando; así, mientras el animal está vivo y confiado a la custodia de un esclavo sajón, conserva su nombre sajón; pero se convierte en normando cuando lo presentan en el comedor del castillo para servirse en los banquetes de los nobles. ¿Qué dices a esto, amigo Gurth? ¿Eh?

—Es la verdad pura y desnuda, amigo Wamba, aunque haya pasado por tu sesera de loco. ¡Por san Dunstán! —exclamó Gurth—. Repito que acabas de decir una triste verdad. Apenas si nos queda el aire que respiramos, y creo que los normandos nos lo han dejado, después de dudar mucho, solamente para ponernos en estado de soportar el peso de la esclavi-

❖ ❖ ❖ ❖

tud con que cargan nuestros hombros. Las carnes más finas y suculentas son para sus mesas, y nuestros jóvenes más valientes son reclutados en sus ejércitos para combatir en países extranjeros y dejar allí sus huesos; de manera que en nuestra patria no queda casi nadie que tenga poder o voluntad para proteger al desgraciado sajón. ¡Que el Cielo bendiga a nuestro señor Cedric! Se ha portado como un hombre manteniéndose en la brecha. Pero he aquí que Reginaldo Frente de Buey, en persona llega al país y no tardaremos en ver que Cedric se ha molestado inútilmente. ¡Ven aquí, ven aquí! —le gritó a su perro—. Muy bien, *Fangs*, muy bien, amigo mío; has cumplido con tu deber. Por fin está reunida la piara y la conduces como es debido.

—Oye, Gurth —dijo el bufón—, veo que me tomas por loco y por tanto has cometido la imprudencia de meter tu cabeza en mis fauces. Si yo refiriera a Reginaldo Frente de Buey o a Felipe de Malvoisin una sola palabra de lo que acabas de decir, su dictamen sería que has hablado como un traidor contra los normandos; no serías más que un porquero desleal, y acabarías suspendido de la rama más alta de cualquiera de estos robles para inspirar terror a quien estuviese tentado de hablar mal de cualquier persona digna.

—¡Pero! —gritó Gurth—, ¿acaso eres capaz de traicionarme, después de haberme excitado a hablar de esta manera tan arriesgada?

❖ ❖ ❖ ❖

—¿Traicionarte? No; eso es lo que haría un hombre sensato; un loco no sabe hacerse a sí mismo tan buenos favores. Pero espera un poco; ¿quién viene a hacernos compañía?

Oíase el rumor de la marcha de muchos jinetes.

—No me preocupa lo más mínimo —repuso Gurth, irritado—. ¿Cómo puedes hablar de semejantes cosas cuando nos amenaza una tormenta terrible? ¿No oyes retumbar el trueno? Ya está a muy pocos kilómetros de distancia. ¿Has visto ese relámpago? ¿Y la lluvia, que ya empieza? En la vida he visto caer gotas tan gordas. No hay ni un soplo de aire y, sin embargo, las ramas de esos grandes robles hacen el ruido que anuncia una tempestad horrenda. Tú sabes ser razonable cuando quieres; hazme caso y apresurémonos a regresar antes de que arrecie la tormenta, porque esta noche no se estará bien al aire libre.

Comprendiendo toda la verdad de tal razonamiento, Wamba acompañó a su amigo, el cual había cogido del suelo una larga vara ahorquillada y con ella daba pie y a la fiera mientras saltaba para que los cerdos avivaran el paso.

Capítulo 2

A pesar de que Gurth dirigía impacientes reproches a Wamba por la lentitud de su marcha, éste, sin dejarse dominar por inquietudes ajenas, de vez en cuando se hacía el remolón y se entretenía en recoger algunas avellanas desperdigadas por el suelo, o bien dirigía un alegre saludo a alguna de las bellas jóvenes campesinas que encontraban a su paso. Bien poco parecía preocuparle los jinetes que se acercaban.

No tardó el grupo de caballeros en alcanzarlos. Componíase de diez personas, dos de las cuales mostraban ser hombres de gran importancia; uno evidentemente era eclesiástico de alto rango; vestía el hábito de la Orden del Císter, pero una tela mucho más fina de lo que permitía la estricta regla de la Orden; poseía gran corpulencia y sus facciones eran agradables, se advertía que no sabía de ayunos ni mortificaciones.

El jinete que cabalgaba junto al dignatario eclesiástico aparentaba tener por lo menos cuarenta años. Era un hombre alto, tenía una figura atlética en la que constantes ejercicios habían suprimido cualquier adiposidad, habiendo reducido su cuerpo a huesos y músculos, mismos que habían soportado miles de trabajos y estaban dispuestos a soportar otros cuantos. Como su compañero, vestía un largo hábito monástico, pero su color escarlata demostraba que el hombre no formaba parte de ninguna de las cuatro órdenes regulares. Sobre el hombro derecho destacaba una cruz de paño blanco, con forma particular. Bajo esta vestidura traía una cota de malla y una armadura completa. Como arma no portaba más que un largo puñal de doble filo, que le pendía del cinto.

La apariencia singular de estos caballeros no sólo excitó la curiosidad de Wamba, sino también la de su compañero, no obstante era mucho menos frívolo. Reconoció al instante en el primer monje al prior de la abadía de Jorvaulx, famoso en muchas leguas a la redonda por su inclinación a la caza y a la buena mesa.

—Os pregunto, hijos míos —dijo el prior elevando la voz y empleando el nuevo idioma, mezcla de sajón y francés—, si hay en estos alrededores algún buen hombre que, por amor a Dios y por devoción a la Madre Iglesia, quiera dar esta noche a dos de sus más humildes servidores y a su séquito hospitalidad y alimento.

Wamba respondió:

—Si vuestras reverencias desean hallar buena mesa y buena cama, está a pocos kilómetros de aquí el priorato de Brinxworth, cuya calidad es garantizar la más honorable de las recepciones. O si prefieren consagrar una parte de la velada a la penitencia, sus reverencias pueden seguir por ese sendero e irán a parar a la ermita de Copmanhurst, donde encontrarán a un pia-

❖ ❖ ❖ ❖

doso anacoreta que, sin duda alguna, les brindarán cobijo en su gruta y la ayuda de sus plegarias.

—Perdono tu agudeza —replicó el prior— a condición de que me indiques el camino de la morada de Cedric.

—Pues bien —dijo Wamba—, vuestras reverencias tienen que seguir este camino hasta llegar a un lugar que se llama la Cruz Derribada. La veréis en el suelo; lo único que se mantiene en pie es el pedestal. Entonces tomaréis el sendero de la izquierda, porque son cuatro los que se cruzan en ese punto. Deseo que vuestras reverencias puedan llegar antes que se desencadene la tormenta.

El prior dio las gracias y los jinetes, picando espuelas, partieron con la diligencia de todo viajero que está deseando llegar a su destino.

—Que sigan el camino que sabiamente les has indicado —dijo Gurth a su compañero— y difícilmente llegarán esta noche a Rotherwood.

—Es verdad; pero pueden llegar a Sheffield, y ese lugar vale tanto como otro cualquiera. Soy demasiado buen cazador para enseñar al perro la madriguera de la liebre cuando no quiero que la atrape.

—No te falta razón. Me disgustaría que ese prior viera a lady Rowena, además que sería muy posible que Cedric se enfrente contra ese monje soldado, lo cual sería aún peor. Pero, como buenos servidores, hemos de limitarnos a ver, a oír y a callar.

❖ ❖ ❖ ❖

Mientras seguían adelante, el prior y el templario platicaban.

—¿Por qué permites la insolencia de ese desharrapado? —inquirió el templario—. ¿Por qué no me indicaste que le castigara?

—Porque está loco, hermano Brian —repuso el prior—. ¿Cómo exigir de un loco respuesta sensata? En cuanto al otro, qué más puede decirse sino que es de esta raza orgullosa e intratable de los sajones, que gozan manifestando el odio que profesan a quienes los han vencido.

—Yo le habría enseñado a ser cortés a fuerza de golpes —repuso Brian.

—Sí —contestó el prior—, pero cada país tiene sus usos y sus costumbres, y pegarle a ese desgraciado era un mal medio para obligarle a indicarnos el camino de la morada de su amo; y aunque lo hubiéramos conseguido, ello hubiese bastado para irritar a Cedric contra nosotros. Ya os he dicho: es orgulloso y soberbio, de carácter altanero y susceptible. Enemigo de la nobleza, lo es también de sus vecinos: Reginaldo Frente de Buey y Felipe de Malvoisin, que no son adversarios que se deba desdeñar. Defiende con tanta firmeza los privilegios de su raza, está tan orgulloso de descender directamente de Hereward, el famoso triunfador de mil combates, que se le llama generalmente Cedric el Sajón; y se vanagloria de su origen con la misma fuerza con que muchos otros se esfuerzan por ocultarlo por miedo a experimentar las consecuencias que sufren los vencidos.

—Querido prior —dijo el templario—, estoy convencido de que en cuestiones de belleza sois tanto o más conocedor que el más galante de los trovadores; pero confieso que es necesario que esa célebre Rowena sea verdaderamente una belleza incomparable, si queréis que tenga suficiente imperio sobre mí mismo y me arme de suficiente paciencia para conseguir los favores de su padre, si es un rústico sedicioso y altanero tal y como me lo pintáis.

—Cedric no es su padre —explicó el prior—; los antepasados de lady Rowena son más ilustres que aquéllos de quienes él se pretende sucesor, y si bien la unen a él lazos de sangre, es en grado muy lejano. Es su tutor, y creo que ha sido él mismo quien se ha designado ese papel; pero quiere a la muchacha tanto o más aún que si fuese su propia hija. En cuanto a la belleza de lady Rowena, pronto podréis apreciarla por vos mismo; y si las gracias de su persona, si la expresión a la vez dulce y majestuosa de su mirada no os hacen olvidar a las jóvenes beldades de Palestina y a las huríes del paraíso de Mahoma, prefiero ser un infiel que un verdadero hijo de la Iglesia.

—Si vuestra tan alabada belleza está por debajo de cuanto acabáis de decirme, ya sabéis cuál es nuestra apuesta, estimado reverendo.

—Mi collar de oro os pertenecerá, no lo discuto ni me vuelvo atrás; pero a vuestra vez que en caso contrario recibiré diez barriles de vino de Quío, y estoy tan seguro de ganarlos como si los tuviera ya en la bodega del convento.

—Pero no olvidéis que soy yo mismo quien ha de juzgar y que para perder es preciso que convenga en que desde la Pascua de Pentecostés del año pasado no he visto belleza más perfecta. Éstas son nuestras condiciones, ¿no es verdad? Mi querido prior, vuestro collar de oro corre gran riesgo, os lo aseguro, y pienso llevarlo alrededor de mi cuello en el entorno que va a abrirse en Ashby de la Zouche.

—Ya veremos, ya veremos —repuso el prior—; lo único que os pido es que vuestra franca respuesta sea intérprete fiel de vuestros sentimientos; en una palabra: tal como debo esperarla de un caballero e hijo de la Iglesia. Pero, mientras tanto, hermano mío, permitidme que os dé un consejo y os incline a adoptar un comportamiento un poco más cortés que ése al cual os han acostumbrado vuestros infieles cuando los teníais en la esclavitud. Si Cedric el Sajón se ofendiera, y se ofende con mucha facilidad, muy a pesar de vuestro título de caballero, de la importancia de mis funciones y de la santidad de nuestro ministerio, es hombre capaz de hacernos abandonar su casa en ese mismo instante, aunque fuese a medianoche. Tened cuidado también respecto a la manera con que miráis a la bella Rowena, a quien vigila con el más celoso de los cuidados. Si concibe la menor alarma en ese sentido, pode-

❖ ❖ ❖ ❖

mos considerarnos perdidos. Dícese que ha arrojado de su casa a su hijo único por haberse atrevido a dirigir una mirada afectuosa a esa beldad, a la cual no se puede adorar más que de lejos.

—Bueno, bueno, ya habéis dicho bastante —dijo el templario—; durante una velada entera quiero comportarme con tanta reserva y dulzura como una doncella; pero en cuanto a los temores que abrigáis de que Cedric nos arroje de su casa, podéis tranquilizaros; es ésa una humillación que mis escuderos y yo os evitaremos.

—Demostraremos, sobre todo, mucha moderación y prudencia —insistió el prior—. Pero henos ya en la Cruz Derribada de la cual nos ha hablado aquel bufón, y la noche es tan oscura que apenas se puede distinguir el camino. Creo que nos ha dicho que hemos de torcer a la izquierda.

—No, a la derecha. Lo recuerdo perfectamente.

—Perdonad, pero es a la izquierda; me acuerdo muy bien que nos indicó la dirección con la punta de su espada de madera.

—Sí —repuso el templario—; pero sostenía la espada con la mano izquierda y dirigió la punta hacia ese lado —y señaló hacia la derecha.

Uno y otro sostuvo su opinión con gran obstinación, como es usual en casos semejantes. Consultaron a quienes los acompañaban, pero nadie se había encontrado lo suficientemente cerca para oír a Wamba. Por

❖ ❖ ❖ ❖

fin Brian exclamó, sorprendido de no haberlo observado antes:

—¡Demonios! ¿No estoy viendo a alguien dormido o muerto al pie del pedestal? Hugo, remueve un poco ese cadáver con la punta de tu lanza.

Hugo obedeció y al punto se levantó un hombre.

—Quienesquiera que seáis, ¿quién os autoriza a venir a turbar mis pensamientos?

—Queremos preguntaros solamente —respondió el prior— cuál es el camino que conduce a Rotherwood, donde habita Cedric el Sajón.

—Yo voy hacia allí —dijo el desconocido.

—Si nos conducís al castillo de Cedric, obtendréis a la vez nuestro agradecimiento y una buena recompensa, amigo mío —repuso el prior.

Y ordenó a uno de los hombres de su séquito que montara un caballo sin jinete que llevaban y diera el suyo al desconocido.

Al poco rato los viajeros transitaban por un camino mucho más ancho que todos los que habían visto hasta entonces, al cabo del cual se elevaba un vasto e imponente edificio; el desconocido se lo señaló al prior diciéndole:

—Ahí tenéis Rotherwood, la morada de Cedric el Sajón. Éste fue un anuncio muy agradable para el prior Aymer, quien no estaba acostumbrado a marcas largas y arriesgadas y durante el recorrido, al pasar por cenegales y barrancos, había experimentado tantos

❖ ❖ ❖ ❖

sobresaltos que le distrajeron la curiosidad de hacerle alguna pregunta a su guía. Sintiéndose ya más tranquilo, empezó a interrogar al desconocido.

—¿Quién sois?

—Soy un peregrino y llego de Tierra Santa.

—Mejor hubiérais hecho en permanecer allí y combatir por la liberación del Santo Sepulcro —dijo el templario.

—Es verdad, reverendo caballero —repuso el peregrino, a quien el templario no le parecía desconocido—; pero cuando los que se obligaron bajo juramento a liberar la Ciudad Santa marchaban lejos del sitio donde los llamaba su deber, ¿podréis sorprenderos de que un humilde campesino como yo, amigo de la paz y de la tranquilidad, siguieron el ejemplo que aquéllos daban?

El templario, irritado, iba a responder; pero lo interrumpió el prior, quien expresó su extrañeza ante el hecho de que su guía, después de una ausencia prolongada, recordara tan bien los atajos del bosque.

—He nacido en estos lugares —respondió el desconocido, deteniéndose entre la mansión de Cedric.

Comenzó a llover con súbita violencia borrando la cortina de agua todo lo que había alrededor empapando en segundos a los caminantes. El templario se detuvo delante de la entrada. Entonces llevose el cuerno a la boca y sopló fuerte, llamando. El sonido ronco y prolongado del cuerno resonó más poderoso que la tormenta.

Capítulo 3

Una larga y ancha mesa de roble estaba en el centro de la gran sala y sobre las tablas había sido dispuesta la abundante cena para Cedric el Sajón. El humo que escapaba de dos grandes chimeneas mal construidas se dispersaba por la sala. Con los años, el humo había formado en el techo una espesa capa de hollín. Adornaban los muros armas bélicas y de caza.

Todo en aquella morada se distinguía por la rusticidad de que gustan los sajones y con las cuales Cedric preciaba de conformarse. El piso era una especie de tierra y cal, bien amasada y endurecida; había una plataforma que estaba reservada a los principales miembros de la familia y a los huéspedes distinguidos. Sobre ella, una mesa ricamente cubierta con un paño escarlata estaba colocada transversalmente; y del centro de esta mesa partía otra más larga, más estrecha y menos suntuosamente decorada, donde se instalaba. Sillas y sillones macizos, de roble, estaban colocados alrededor de la mesa privilegiada, sobre la cual se extendía una especie de palio de paño, o baldaquín, cuyo objeto consistía en poner a sus ocupantes a cubierto de la lluvia que algunas veces penetraba por entre los resquicios del techo mal construido.

❖ ❖ ❖ ❖

En el centro de la mesa de honor estaban colocados dos sillones más elevados, mismos que pertenecían al señor y la señora de la casa, quienes presidían el banquete hospitalario y por tal razón se denominaban con las palabras que en sajón significan los *dadores de pan*.

Cedric el Sajón ocupaba ya su sitio acostumbrado; y aunque sólo tuviera el título nobiliario de barón o de *franklin*, como le llamaban los normandos, estaba ya impaciente por no ver llegar la cena.

Bastaba ver la fisonomía del dueño de la mansión para juzgar que era de carácter franco, e impetuoso; era de mediana estatura, de espaldas anchas, brazos largos y miembros robustos; todo en él revelaba al hombre acostumbrado a las fatigas de la guerra o de la caza. Tenía la cara ancha, los ojos grandes y azules, sus dientes eran perfectos y sus facciones evidenciaban esa especie de buen humor que acompaña a menudo la viveza y la brusquedad.

Varios domésticos, cuyos vestidos guardaban el justo medio entre la magnificencia de su señor y la sencillez de Gurth, el porquero, estaban atentos a cumplir sus órdenes. Veíanse también en la sala otros comensales de diferente especie: dos o tres grandes lebreles que en esos tiempos se empleaban para cazar el ciervo o el lobo; otros tantos perros guardianes, de cabeza grande y cuello ancho, de orejas largas, y otros dos de clase más ordinaria, de los que hoy se llaman pachones. Ellos esperaban con impaciencia la llegada de la cena.

❖ ❖ ❖ ❖

Gurth y su piara, que debían de estar de regreso desde hacía mucho, aún no aparecían por el hecho de que las propiedades estaban expuestas a depredaciones por parte de los proscritos y de los barones de los alrededores, la inquietud del *franklin* era más que comprensible.

—¿Cómo es que lady Rowena no acude?

—No le falta más que cambiar de peinado —respondió con seguridad una doncella—. ¿Queréis que acuda a la mesa con la cofia de dormir?

A esta razón sin réplica, el *franklin* respondió sencillamente:

—Confío en que su devoción le hará elegir mejor momento cuando quiera ir a la iglesia de San Juan —y volviendo el rostro entonces hacia su copero, pareció querer descargar sobre otro su malhumor y exclamó—: pero, ¡por todos los diablos!, ¿qué motivos pueden retener a Gurth a estas horas? No sé por qué temo que va a tener que darnos cuenta de su piara. Aunque debo reconocer que es un servidor cuidadoso y fiel, y le destinaba a algo mejor. Tal vez habría hecho de él uno de mis guardias.

—No es muy tarde todavía —respondió Oswaldo, el copero—, aún no hace una hora que ha sonado el toque de queda.

—¿Y Wamba? ¿Dónde está Wamba? ¿No me ha dicho alguien que se había marchado con Gurth?

Oswaldo respondió afirmativamente.

❖ ❖ ❖ ❖

—¡Mejor que mejor! Habrán raptado al bufón sajón para darle un amo normando. La verdad es que todos estamos locos de remate sometiéndonos al señor normando, y más despreciable para su diversión que si tuviésemos la mitad de ánimo. ¡Pero me vengaré! —añadió encolerizado—. Me creen viejo, sin duda; pero se convencerán de que la sangre de Hereward circula todavía por las venas de Cedric. ¡Ah, Wilfrido, Wilfrido! —añadió, bajando la voz de manera que llegó a hablar tan sólo para sí mismo—; si hubieses podido vencer tu pasión insensata, tu padre no se habría visto abandonado a su edad como el roble solitario cuyas ramas sin hojas están a merced de los huracanes.

Estas últimas palabras parecieron trocar su cólera en tristeza y pareció entregarse a reflexiones melancólicas. El sonido de un cuerno le arrancó de sus quimeras. Los ladridos de los perros respondieron al instante. Fue necesario el bastón y el esfuerzo de los criados para hacer cesar su clamor.

—Corred a la puerta, lacayos —exclamó el sajón cuando logró hacerse oír—, y sepamos qué noticias llegan al castillo en noche tan borrascosa.

Al cabo de algunos instantes uno de los guardias vino a anunciar que Aymer, el prior de Jorvaulx, y el caballero Brian de Bois-Guilbert, comendador de la venerable Orden de los Templarios, con séquito poco numeroso, le pedían hospitalidad por aquella noche, pues se encontraban de paso en dirección al torneo que se celebraría dos días después a poca distancia de Ashby de la Zouche.

—¡El prior Aymer! ¡Brian de Bois-Guilbert! —murmuró Cedric—. ¡Normandos ambos! Pero no importa, normandos o sajones, jamás se negará la hospitalidad en el castillo de Rotherwood. Puesto que lo han elegido para descansar, que sean bien venidos. Sin embargo, mejor habrían hecho pasando de largo.

El mayordomo salió seguido de algunos sirvientes.

—¡El prior Aymer! —repitió Cedric dirigiéndose a Oswaldo—. Si no me equivoco, es el hermano de Gil de Mauleverer, actualmente lord Middleham.

Oswaldo hizo un ademán afirmativo, con manifiesto respeto.

—En fin, bien venido sea. ¿Y cómo han llamado al templario?

—Brian de Bois-Guilbert.

—¡Bois-Guilbert! —repitió Cedric, siempre en voz baja—. Es un hombre bastante conocido por sus buenos y malos aspectos. Se dice que es tan valiente como el más atrevido de los miembros de su Orden, pero que tampoco le faltan defectos como: orgullo, arrogancia, crueldad, irregularidad de costumbres; que tiene el corazón duro y que no teme ni respeta nada sobre la tierra ni en el cielo. Pero no permanecerá aquí más que una noche; también será bien recibido. Y tú, Elgitha, anda a decirle a tu señora que puede cenar esta noche en su aposento y no asistir al banquete, a menos que desee lo contrario.

❖ ❖ ❖ ❖

—Deseará cenar con todos seguramente —respondió Elgitha—, porque ha de estar interesada en conocer las últimas noticias de Palestina.

—¡Silencio! —dijo solamente Cedric y Elgitha se retiró sin replicar.

—¡Palestina! —dijo el Sajón a media voz, repitiendo el nombre que pronunció la doncella de lady Rowena. Aparecieron entonces cuatro servidores portando llameantes antorchas y al punto los dos forasteros fueron introducidos en la sala.

Capítulo 4

Además del anillo de oro que era signo de su dignidad, el prior Aymer adornaba todos sus dedos de valiosas sortijas de relumbrantes gemas. Se había cambiado el atuendo de viaje traía otro de telas aún más finas, sobre el cual se había puesto una preciosa capa bordada. La piel de sus sandalias era la mejor de España y habíase recortado perfectamente la barba y llevaba una toca recamada.

El caballero de la venerable Orden del Temple también había cambiado su vestimenta; portaba ropas de gran valor, aunque menos cargadas de adornos que las de su acompañante, y tenía el aspecto mucho más arrogante que su compañero.

Al ver llegar a sus huéspedes junto con un séquito, Cedric se levantó con dignidad, descendió de su dosel, dio tres pasos hacia ellos y los esperó a pie firme.

—Me contraría mucho, reverendo prior —le dijo a Aymer—, que un voto hecho me impida ir más lejos para recibir en el hogar de mis antepasados a huéspedes como vos y este valeroso caballero templario. Mi intendente ha debido explicaros la causa de esta aparente falta de cortesía. Permitidme también os ruegue me disculpéis si os hablo en mi lengua materna y

❖ ❖ ❖ ❖

dignaos emplearla vos también, si la conocéis. En caso contrario, creo entender bastante el normando para comprender lo que tengáis que decirme.

—Digno barón —respondió el prior—, o más bien permitidme que os diga digno *thane*, aunque este título sea un poco anticuado; los votos tienen que ser cumplidos; a menos, por supuesto, que nuestra Santa Madre Iglesia juzgue posible dispensarnos de ellos. En cuanto a la lengua con que nos comunicaremos, emplearé con gusto la que hablaba mi respetable abuela Hilda de Middleham, que murió en olor de santidad.

Cuando el prior hubo terminado, su compañero dijo en pocas palabras y con mucho énfasis:

—Yo hablo siempre francés; es la lengua del rey Ricardo y de su nobleza; pero entiendo bastante el inglés para comprender a los naturales del país.

Cedric le dirigió una mirada de impaciencia y cargada de cólera; pero recordando los deberes que le imponían la hospitalidad, invitó con un ademán a sus huéspedes a tomar asiento en dos sitiales colocados a su izquierda, pero un poco más bajos que el suyo, y dio orden de que se sirviera la cena.

Mientras los sirvientes obedecían, distinguió en el extremo opuesto de la sala a Gurth y a Wamba, que acababan de llegar.

—Que se adelanten esos dos holgazanes —ordenó con aire de impaciencia. Y cuando los dos hombres se hubieron aproximado al dosel, prosiguió—: ¿Por qué habéis regresado tan tarde, bellacos? ¿Qué ha sido de la piara que te he confiado, miserable Gurth?

—Salvo vuestro mejor gusto —respondió el porquero—, he conducido a casa la piara completa.

—Pero no es mi gusto estar dos horas pensando lo contrario y formando planes de venganza contra vecinos que no me han ofendido. Te advierto que la siguiente vez que vuelva a suceder serás castigado con azotes y la prisión.

Gurth, que conocía el carácter irritable de su señor, no intentó excusarse; pero el bufón, envalentonado por los privilegios de su oficio, replicó de esta manera:

—En verdad, tío mío, que esta noche no sois sensato ni razonable.

—¡Silencio, Wamba! O te mandaré, a pesar de tu locura, a hacer penitencia y a que te disciplinen en la garita del portero.

—Dígnese vuestra sabiduría decirme antes si es justo y razonable castigar a alguien por culpa de otro.

—Cierto que no.

—¿Por qué, pues, castigar a Gurth por la falta de su perro *Fangs*? Sí, señor; *Fangs* no ha conseguido reunir la piara hasta después de haber sonado el último toque a oración.

—Si la culpa es de *Fangs* —dijo Cedric, dirigiéndose a Gurth—, hay que colgarlo y escoger otro perro.

❖ ❖ ❖ ❖

—Salvo vuestro mejor criterio, tío mío—volvió a decir el bufón— eso no es todavía hacer justicia. ¿Qué culpa tiene *Fangs* de estar lisiado y por ello ser incapaz de reunir rápidamente la piara? La culpa es de quien le ha arrancado las uñas delanteras.

—¡Lisiar al perro de mi esclavo! —exclamó el sajón, lleno de ira—. ¿Quién ha osado inferirme tal ultraje?

—El viejo Huberto, el guardabosque de sir Felipe de Malvoisin. Cogió a *Fans* en el bosque con el pretexto que daba caza a la manada de gamos, violando los derechos de su señor, y...

—¡Que el diablo se lleve a Malvoisin y a su guarda! —volvió a exclamar Cedric—. Yo les enseñaré a los dos que, según los términos de la gran carta de los bosques, éste no tenía señalada exclusividad. Pero ya basta; colocaos en vuestros sitios. Y tú, Gurth, toma otro perro, y si el guarda se atreve a tocarlo quiero que todas las maldiciones que se dirigen a un cobarde caigan sobre mi cabeza si no le corto el índice de la mano derecha. Os pido perdón, mis dignos huéspedes; pero estoy rodeado aquí de vecinos que no valen más que los infieles contra quienes vos, caballero Brian, habéis combatido en Tierra Santa. La cena está en la mesa; servíos y que la buena acogida compense la mala comida.

Al ir a empezar, el mayordomo levantó repentinamente la varilla y exclamó en voz alta:

—¡Paso a lady Rowena!

Y ésta apareció acompañada de cuatro sirvientas.

❖ ❖ ❖ ❖

Todos se levantaron para recibirla y contestaron con un saludo silencioso a la reverencia llena de gracia que hizo ella a todos.

Lady Rowena era de estatura aventajada. La blancura de su tez era como la de la flor del almendro y sus facciones denotaban gran nobleza. Sus hermosos ojos azules parecían creados tanto para inflamar el ánimo como para enternecer, para ordenar como para suplicar. Si la dulzura era la expresión natural de su fisonomía, se veía también que la costumbre de mandar y de recibir homenajes le habían dado un orgullo que modificaba su carácter natural. Sus largos cabellos castaños formaban numerosos bucles, que aparecían adornados con piedras preciosas. Rodeaba su cuello una cadena de oro, de la cual pendía un pequeño relicario del mismo precioso metal. Sus brazos estaban desnudos y adornados con pulseras. Su atavío se componía de un vestido y un zagalejo de color verde pálido sobre el cual llevaba puesto otro vestido amplio y flotante, de color carmesí con anchas mangas. Un tejido de oro y de seda, que le servía de velo, iba sujeto de manera que pudiera cubrirle el rostro y el pecho y formar al mismo tiempo una especie de manto sobre sus hombros.

En cuanto el templario vio a lady Rowena, susurró al oído del prior:

—No llevaré vuestro collar de oro en el torneo; el vino de Chianti es vuestro.

❖ ❖ ❖ ❖

De pronto apareció el encargado de la puerta y anunció que un forastero solicitaba hospitalidad.

—Sea quien sea, que pase—ordenó Cedric, añadiendo—: En noche semejante, antes que desafiar el furor de la naturaleza hasta las fieras buscan amparo en el hombre, su mortal enemigo. Procura, Oswaldo, que al forastero no le falte nada.

Inmediatamente el copero fue a cumplir las órdenes de su amo.

Capítulo 5

Poco después regresó Oswaldo. Aproximándose a su señor le dijo al oído:

—Señor, se trata de un judío que se llama Isaac de York. ¿Os parece bien que le haga pasar a la sala para que se siente junto con los que aquí se encuentran? ¿Qué decís, señor?

—Dile a Gurth que te releve en tus funciones, Oswaldo —dijo Wamba, con su impertinencia acostumbrada—. Un cuidador de puercos es el indicado para recibir a un judío.

Introducido con poca ceremonia y avanzando con aire de temor y de vacilación, saludando repetidas veces con profunda humildad, un anciano flaco y de alta estatura, pero a quien la costumbre de inclinarse había hecho perder algo de su talla, se aproximó al extremo de la mesa de los sirvientes.

Mientras Isaac era tratado como proscrito, el peregrino, que había permanecido sentado frente a la chimenea y cenado en una mesilla, tuvo compasión del desventurado. Se levantó y le dijo:

—Ocupa este sitio, anciano; mis vestiduras están secas y las tuyas mojadas; mi apetito está saciado y tú debes de tener hambre.

❖ ❖ ❖ ❖

Mientras tanto, el prior y Cedric conversaban sobre perros; lady Rowena hablaba con una de sus doncellas, y el altanero templario, quien dirigía alternativamente sus miradas al judío y a la hermosa sajona, parecía meditar algún proyecto.

Terminada la cena el prior insistió en irse a descansar, de manera que se llevaron las copas para la ronda de despedida y, después de saludar ceremoniosamente a Cedric y a lady Rowena, los forasteros se dispusieron a seguir a los sirvientes.

—Perro descreído —le dijo el templario al judío al pasar junto a éi—, ¿también vas al torneo?

—Ése es mi propósito, sin ofender vuestro venerable valor —respondió Isaac, saludándole con toda humildad.

—Sin duda para devorar con tu usura las entrañas de los nobles y arruinar a las mujeres vendiéndoles baratijas de moda. Apuesto que llevas debajo de esa capa una bolsa repleta de monedas.

—Ni una sola —exclamó el judío, juntando las manos e inclinándose—, ni siquiera una moneda de plata. Pongo por testigo al Dios de Abraham. Voy a Ashby a implorar el socorro de algunos hermanos de mi tribu para poder pagar las cargas tributarias que me impone la autoridad de los judíos.

El templario sonrió dando muestras de su odio.

—¡Que el cielo te maldiga, imprudente mentiroso! —le dijo.

❖ ❖ ❖ ❖

El peregrino, acompañado de un sirviente que le alumbraba con una antorcha, caminaba por los corredores del castillo cuando de pronto el copero salió a sus espaldas invitándole a tomar una copa de hidromiel en su aposento, donde encontraría reunida a la gente de Cedric, la cual se maravillarían oyendo sus aventuras de Tierra Santa, y sobre todo podrían ellos tener noticias del caballero Ivanhoe. Wamba, que llegó en aquel momento, apoyó la proposición añadiendo que una copa de hidromiel después de medianoche valía por tres después del toque de queda. El peregrino les dio las gracias por su amabilidad y les dijo que había hecho voto de no hablar nunca en la cocina de las cosas que los señores no querían que se hablara en el salón.

—Semejante voto —dijo Wamba dirigiéndose al copero— no le convendría a un siervo.

Oswaldo se encogió de hombros con aire de descontento.

—Estaba dispuesto a alojarle en la habitación del granero —le dijo a Wamba a media voz—; pero ya que se muestra tan poco complaciente con los cristianos, le daré un desván.

Dio una orden en este sentido y le dijo al peregrino:

—Os deseo buena noche, señor peregrino, y os agradezco como merecéis vuestra cortesía.

—Buenas noches y que la santa Virgen os bendiga —repuso el peregrino con toda calma, y siguió a su guía.

❖ ❖ ❖ ❖

Más adelante apareció una doncella de lady Rowena, la que diciendo al guía con tono autoritario que su señora quería hablar con el peregrino, tomó la antorcha e hizo seña al peregrino de seguirla.

Después de haber pasado por un corto pasillo y subido siete peldaños se encontró en el aposento de lady Rowena. La magnificencia de la habitación respondía al respeto que le demostraba el señor del castillo.

Lady Rowena tenía detrás a tres doncellas, una de las cuales arreglaba sus cabellos para dormir. Sentada en alto sillón, parecía una reina que va a recibir el homenaje de sus súbditos. El peregrino, quien había colocado sobre la cabeza el capuchón que traía, mismo que semiocultaba su rostro, dobló una rodilla ante ella.

—Levantaos, peregrino —dijo la joven, con gracia—; el que toma la defensa del ausente tiene derecho a recibir una acogida favorable de quien ame la verdad y honre el valor. Retiraos todas menos tú, Elgitha —añadió dirigiéndose a sus doncellas.

—Peregrino —volvió a decir lady Rowena al cabo de un instante de silencio—, deseo preguntaros sobre el caballero Ivanhoe —añadió no sin esfuerzo— que en este castillo, según las leyes de la Naturaleza, tendría que ser escuchado siempre con gusto pero el cual, por un concurso de circunstancias penosas, no puede ser pronunciado sin excitar en más de un corazón reacciones de distinta índole. Sólo me atrevo a preguntar: ¿dónde estaba, cuál era su destino cuando habéis abandonado Tierra Santa? Hemos sabido que habiendo tenido que quedarse en Palestina a causa de su mal estado de salud, después de la retirada del ejército inglés fue perseguido por la tropa francesa, a la cual están ligados los templarios, como es notorio.

—Conozco muy poco al caballero de Ivanhoe —respondió el peregrino, con voz temblorosa—; quisiera haberle conocido más, noble señora, ya que os interesáis por su suerte; puedo deciros, sin embargo, que escapó a las persecuciones de sus enemigos y que estaba a punto de regresar a Inglaterra, donde vos debéis saber mejor que yo si tiene alguna esperanza de ser feliz.

—Quisiera Dios —exclamó lady Rowena— que ya hubiese llegado y estuviera en condiciones de tomar las armas en el torneo que va a celebrarse, en el cual todos los caballeros de este país van a desplegar su destreza y su valor. Si Athelstane de Coningsburgo se llevara el premio, Ivanhoe seguramente tendría desagradables noticias a su arribo a Inglaterra. ¿Cómo se encontraba la última vez que le visteis? ¿Había quebrantado sus fuerzas la enfermedad? ¿Estaba muy cambiado?

—Se dice que estaba más delgado y más moreno que cuando llegó a Chipre con el séquito de Ricardo Corazón de León, y que las preocupaciones parecían

❖ ❖ ❖ ❖

grabadas en su frente; pero sólo hablo por lo que he oído decir.

—Temo mucho que encuentre en su país muy pocos motivos para poder desterrar esas preocupaciones. Os agradezco mucho, buen peregrino, las noticias que me habéis dado acerca del compañero de mi infancia.

Hizo llenar con vino aderezado con miel y especias una copa de plata; humedeció sus labios en ella y se la ofreció al peregrino, quien bebió algunas gotas; luego lady Rowena, dándole una moneda de oro, lo despidió con estas palabras:

—Aceptad esta limosna como señal de mi respeto por los lugares santos que habéis recorrido.

El peregrino aceptó el donativo saludando con profunda humildad, y Elgitha lo acompañó hasta la antesala, donde seguía aguardando el sirviente, quien, con más premura que ceremonia, lo condujo a una parte del edificio que estaba casi en ruinas, donde una especie de celdas servían de alojamiento a la servidumbre de último orden y a los forasteros de condición inferior.

—¿En cuál de estas habitaciones se ha acostado el judío?— inquirió el peregrino.

—Ese perro descreído ocupa la que está a mano izquierda de la vuestra. ¡Por san Dunstán! ¡Cuánto habrá que limpiarla antes de poder alojar en ella a un cristiano!

—¿Y dónde está la habitación de Gurth el porquero?

❖ ❖ ❖ ❖

—Gurth duerme a mano derecha. Habríais podido estar alojado más honorablemente si hubieses aceptado la invitación de Oswaldo.

—Me encuentro muy bien aquí; la vecindad de un judío no puede mancillar a través de una tabla de roble.

Tras estas palabras penetró en la celda que se le había destinado, colocó la antorcha en un candelabro de madera y paseó su mirada por el mobiliario del dormitorio. Era lo más sencillo posible: un banco y un lecho formado con tablas mal unidas y cubierto de paja fresca, sobre la cual había extendidas algunas pieles de cordero para cubrirse.

Apagó la antorcha y se acostó vestido en la miserable cama. Durmió, o por lo menos permaneció acostado, hasta que las primeras luces de la aurora penetraron en su aposento por un ventanuco enrejado. Se levantó entonces y, después de haber rezado sus oraciones de la mañana, salió de la celda y entró sin hacer ruido en la del judío. Estaba éste tendido en un camastro exactamente igual que al que él había tenido. La frente del anciano denotaba inquietud y agitaba los brazos y las manos como si luchara contra una pesadilla. Profería exclamaciones, entre las cuales el peregrino entendió estas palabras:

—¡En nombre del Dios de Abraham, perdonad a un desventurado anciano! No dispongo de una sola moneda y aunque me descuartizarais no podría complaceros.

❖ ❖ ❖ ❖

Sin esperar el fin de la pesadilla del judío, el peregrino le despertó con cierta brusquedad. El ver a un hombre al lado de su lecho sin duda pareció a Isaac la continuación de su mal sueño.

—No temáis nada, Isaac—le dijo el peregrino—. Vengo como amigo.

—¡Que el Dios de Israel os recompense! Estaba soñando... ¡Bendito sea Abraham, que no ha sido más que un sueño! ¿Y qué asunto os trae tan de mañana para tratar con un pobre judío?

—He de deciros que si no os marcháis al instante, vuestro viaje no estará exento de peligros.

—¡Dios de Moisés! ¿Y quién puede tener interés en perjudicar a un pobre desgraciado como yo?

—Vos debéis saber mejor que yo si alguien puede tener interés en ello; lo que puedo aseguraros es que anoche el templario habló a sus esclavos en lengua sarracena, que yo comprendo perfectamente, y les dio orden de espiar vuestra salida del castillo, de seguiros, apoderarse de vos y conduciros preso al castillo de sir Felipe de Malvoisin o al de sir Reginaldo Frente de Buey.

—¡Poderoso Dios de Abraham! —dijo el anciano, elevando al cielo sus manos descarnadas.

—Levantaos, Isaac, y escuchadme —dijo el peregrino, que le contemplaba con una mezcla de compasión y desprecio—. Vuestro terror no es injustificado, pensando en la manera con que los nobles y los príncipes han tratado a vuestros hermanos para arrebatarles sus tesoros; os indicaré el medio de salvaros. Abandonad al instante este castillo, mientras todos duermen todavía. Os conduciré al bosque por senderos ignorados, que conozco tan bien como el mismo guardabosques; lo más pronto posible debeis obtener el salvoconducto de algún jefe o de algún barón que se dirija al torneo, de cualquiera de los cuales poseéis sin duda el medio de garantizaros su protección.

Lo condujo a la celda de Gurth y despertó al porquero.

—Levántate, Gurth; abre la puerta del castillo y déjame salir con el judío.

—¡Cómo! —exclamó Gurth, incorporándose pero sin abandonar su cama—. ¿El judío quiere marcharse tan temprano de Rotherwood, y en compañía de un peregrino?

—Yo también le habría supuesto capaz —dijo Wamba, entrando en aquel instante— de marcharse tranquilamente llevándosenos medio jamón.

—Como sea —añadió Gurth, volviendo a colocar la cabeza sobre el trozo de madera que le servía de almohada—, el judío y el cristiano tendrán la bondad de esperar a que se abra la puerta grande. No me gusta que nuestros huéspedes abandonen el castillo furtivamente y, sobre todo, tan temprano.

Entonces el peregrino se acercó al porquero y le susurró algo. De inmediato se incorporó Gurth, con

❖ ❖ ❖ ❖

aspecto alegre y diligente. El judío y Wamba los siguieron, sorprendidos por aquel cambio súbito.

—¡Mi mula! ¡Mi mula! —exclamó el judío al llegar a la puerta.

—Ve a buscar su mula —ordenó el peregrino a Gurth—, y trae otra para mí, a fin de que pueda seguirlo hasta que haya abandonado las cercanías. Tendré el cuidado de ponerla en Ashby en manos de alguno de los hombres del acompañamiento de Cedric. Y tú escucha...

Dijo lo demás en voz tan baja, que sólo Gurth pudo oírlo.

Pero después el porquero apareció por el otro lado del foso con las dos mulas. Cuando el judío estuvo al lado de su mula, se apresuró a colocar sobre su silla un pequeño saco de lienzo azul, que había ocultado cuidadosamente debajo de su capa.

—Es lo necesario para cambiar de ropa —explicó—; no es otra cosa...

Montó con más vigor y ligereza de lo que hubiera podido esperarse por su edad y colocó con rapidez su capa de manera que ocultara a todas las miradas el fardo que llevaba en la grupa.

El peregrino montó en su mula con menos viveza, y al momento de partir ofreció su mano a Gurth, quien se la besó con respeto. El vasallo permaneció mirando a los dos viajeros mientras se alejaban.

—Aquí es donde debemos separarnos. No conviene a las personas de mi clase permanecer en

❖ ❖ ❖ ❖

compañía de un judío más tiempo del que la necesidad exige.

—¡Que la bendición de Jacob caiga sobre vos, joven señor! Encontraré en Sheffield a mi pariente Zareth y él me facilitará los medios de proseguir mi viaje sin peligro.

—Si es así te acompañaré, en hora y media distinguiremos la ciudad; entonces nos separaremos.

Efectivamente, no transcurrió mucho tiempo para que el peregrino dijera.

—Ahí está Sheffield; aquí nos separamos.

—Pero no antes de que hayáis aceptado el agradecimiento del pobre judío; me atrevo a rogaros que me acompañéis a casa de mi pariente Zareth, que podría facilitarme los medios de recompensaros por el servicio que me habéis prestado.

—Ya te he dicho y te repito que no quiero ninguna recompensa. Si entre la larga lista de tus deudores quieres evitar, por amor a mí, a algún desgraciado cristiano de los hierros y la prisión, me consideraré bien recompensado por el favor que te he prestado esta mañana.

—Esperad, esperad —exclamó el judío, cogiéndolo por la capa—; quisiera hacer algo más, algo que os obligara personalmente. Dios sabe que Isaac es pobre, que no es más que un mendigo de su tribu, y, sin embargo... ¿Me perdonaréis si adivino lo que más deseáis en este momento?

❖ ❖ ❖ ❖

—Aunque lo adivinaras no podrías dármelo, así fueses tan rico como pobre pretendes ser.

—¡Como pretendo! —exclamó el judío—. ¡Ay de mí! Es la verdad; soy un hombre saqueado, arruinado, cargado de deudas, el último de los miserables; manos crueles me han despojado de mis mercancías, de mi dinero, de mis barcos, de todo cuanto poseía. Y, sin embargo, puedo deciros lo que deseáis y quizá facilitároslo: un caballo de combate y una armadura.

El peregrino se estremeció y se volvió con viveza.

—¿Qué demonios puede inspirarte esa conjetura? —le preguntó.

—¿Qué importa? —repuso el judío, sonriendo—. ¿Diréis que no es exacta? Pues bien: si he adivinado vuestro deseo, tengo el medio de satisfacerlo.

—¿Cómo puedes pensar que con el hábito que traigo puesto...?

—Conozco a los cristianos; sé que el más noble entre ellos, por un espíritu de religión supersticiosa toma el bordón y las sandalias y se va a pie a visitar la tumba de aquel...

—¡Judío! —exclamó el peregrino, con tono severo—. ¡No blasfemes!

—Perdón, he hablado desconsideradamente. Pero vos habéis dejado escapar ayer y esta mañana algunas palabras que me han permitido advertir que la chispa que al brotar del pedernal muestra el metal que oculta. Sé además que ese hábito de peregrino oculta una

❖ ❖ ❖ ❖

cadena de oro como la que llevan los caballeros. La he visto brillar, hace algunas horas, cuando estabais inclinado sobre mi lecho.

El peregrino no pudo evitar una sonrisa.

—Si una mirada tan curiosa atravesara tus vestiduras —le replicó el peregrino—, quizás hiciera también algún interesante descubrimiento.

—No habléis así —dijo el judío, cambiando de color y se puso a escribir en un pedazo de papel sin apearse de su mula. Luego entregó el escrito en hebreo al peregrino, diciéndole—: Toda la ciudad de Leicester conoce al rico judío Kirgath Jairam de Lombardía. Entrégaselo. Tiene en venta seis armaduras de Milán, la más inferior de las cuales sentaría bien a una testa coronada; diez corceles de guerra, el menos hermoso de los cuales sería digno de un rey. Vos podéis elegir el caballo y la armadura que más os plazcan y pedirle todo lo que podáis necesitar para el torneo; él os lo dará. Después del torneo se lo devolveréis todo tal como os entregue, a menos que estéis entonces en condiciones de pagar su precio.

—Pero ¿no sabes, Isaac, que, según la regla de los torneos las armas y el caballo del vencido pertenecen al vencedor? Puedo ser vencido y perder lo que no podría devolver ni pagar.

El judío palideció ante esta posibilidad; pero, haciendo acopio de valor, exclamó con viveza:

❖ ❖ ❖ ❖

—¡No, no, no! Eso es imposible... No quiero pensarlo... La bendición de nuestro padre celeste estará con vos...

Pero el peregrino añadió:

—Isaac, no conoces aún los riesgos que corres. La armadura puede quedar abollada y el caballo ser herido o muerto; porque si voy al torneo, no me cuidaré de proteger armas ni corcel. Además la gente de tu tribu no da nada por nada, y tendré que pagar algo por haberme servido de todo esto.

El judío hizo movimientos en su silla como un hombre atormentado por un acceso de cólico; pero los sentimientos que lo animaban en aquel momento triunfaron sobre los que le eran habituales.

—No importa —dijo—, no importa... Dejadme partir. Si hay algún perjuicio no os costará nada, y Kergath Jairam os prestará sin interés todo lo que os sea necesario por amor de su correligionario Isaac. ¡Adiós! Escuchad —añadió volviéndose—: tened cuidado de no exponeros demasiado en esas locas batallas. Cuidad, no digo de vuestra armadura y de vuestro caballo, sino de vuestra vida, valiente y noble señor. Adiós.

—Muchas gracias por tu recomendación —repuso el peregrino—; no me aprovecharé de tu cortesía y me sabrá muy mal no poder recompensarla.

Entonces, rápidamente se separaron y entraron en Sheffield por caminos distintos como si jamás se hubiesen conocido.

Capítulo 6

La música dejaba escuchar de vez en cuando sus aires de triunfo en el campo del torneo. En su mayoría los espectadores lamentaban ver transcurrir casi en la inacción un día que debía estar consagrado a nobles hechos de armas, y los ancianos, hablando del pasado, deploraban a media voz la decadencia del espíritu marcial. El príncipe Juan se disponía ya a dar la orden de que fuesen a preparar el banquete y hacía saber a sus cortesanos que sin duda alguna iba a adjudicar el premio a sir Brian de Bois-Guilbert, quien parecía no tener adversario, cuando de pronto, en la puerta situada en el lado norte, se dejó oír una trompeta con sones de desafío. Todas las miradas convergieron en el lado por donde iba a aparecer el nuevo contendiente, y vieron a un caballero, que parecía más alto que robusto. Su coraza de acero estaba ricamente adornada con piezas de oro; no ostentaba otras armas heráldicas que un joven roble desarraigado, y su divisa era la palabra *Desdichado,* escrita en español. Montaba un soberbio caballo negro y al atravesar gallardamente la arena saludó al príncipe y a las damas con gracia, bajando el hierro de su lanza. La destreza con que conducía su caballo y lo amable y cortés de sus maneras le conquistaron la simpatía general. Entre aclamaciones y con

❖ ❖ ❖ ❖

gran sorpresa por parte de todos los espectadores fue directamente el caballero desconocido al pabellón central y golpeó con firmeza el hierro de su lanza el escudo de Brian de Bois-Guilbert, lo cual demostraba que pedía combatir con el caballero francés. Todos quedaron sorprendidos por su atrevimiento, pero nadie tanto como el orgulloso templario, que se apresuró a preguntar sonriendo:

—¿Estáis en estado de gracia? ¿Habéis oído misa esta mañana?, ya que vienes así a poner tu vida en peligro.

—Estoy mejor preparado que tú para la muerte —respondió el caballero Desdichado, nombre con el cual se había inscrito en el torneo.

—Ve, pues, a colocarte en tu sitio en campo de batalla y mira al sol por última vez, porque esta noche dormirás en el paraíso si tus hechos merecen tus privilegios.

—Muchas gracias por tu amabilidad. Para recompensarte por ella te aconsejo que tomes un caballo descansado y una lanza nueva, porque te prometo por mi honor que de uno y de otra habrás de necesitar.

Aunque irritado por el atrevimiento con que su adversario le había aconsejado que tomara precauciones, Bois-Guilbert no dejó de seguir el consejo. Estaba su orgullo muy interesado en conquistar la victoria, por tanto tomó en cuenta todos los medios que podían contribuir a facilitársela. Eligió otro caballo, se armó con otra lanza y cambió de escudo.

❖ ❖ ❖ ❖

La impaciencia de los espectadores crecía a cada momento; los votos, por no decir la esperanza de casi todos ellos, eran para el caballero Desdichado.

En cuanto las trompetas dieron la señal, los dos combatientes se acometieron con ímpetu y chocaron en el centro de la arena con un estrépito semejante al del trueno. Rompiéronse sus lanzas en mil pedazos y por un instante se creyó derribados a ambos, porque la violencia del choque había hecho doblar las corvas de sus caballos, pero su caída fue prevenida y evitada por la habilidad con que supieron servirse de la brida y de la espuela. Los dos rivales que despuntaban la gloria del tiempo se miraron un instante con ojos que parecían lanzar llamas y, retirándose a los extremos opuestos del campo, recibieron otra lanza de manos de sus escuderos, mientras resonaban las trompetas y las aclamaciones eran ensordecedoras. Pero cuando los contendientes volvieron a ocupar su puesto de combate, se hizo un silencio tan profundo que podría decirse que la muchedumbre no se atrevía siquiera a respirar. El príncipe dio la señal del reinicio de la lucha, a su vez las trompetas dieron el toque de cargar y los dos combatientes partieron por segunda vez con la misma impetuosidad y chocaron con la misma destreza y el mismo vigor, si bien no con la misma suerte.

En este segundo encuentro el templario dirigió su lanza hacia el centro del escudo de su adversario y le dio con tal precisión y tanta fuerza que el caballero

❖ ❖ ❖ ❖

Desdichado se dobló hacia atrás, hasta la grupa de su caballo, aunque sin caer de la silla. Por su parte éste, después de haber amenazado primero el escudo de su antagonista, de improviso y en el momento del encuentro había dirigido su lanza contra el casco de su adversario, blanco más difícil de lograr, pero cuando se conseguía acertar representaba para el enemigo un gran riesgo. Sin embargo, el templario refrendó su alta reputación, y si no se hubiera roto la cincha de su corcel, quizá no hubiese sido desarzonado. De todos modos, caballo y jinete fueron derribados y ambos rodaron por el polvo.

Desenredarse de los estribos fue para Bois-Guilbert cosa de un instante. Furioso por su desgracia y por los aplausos generales que se prodigaban al vencedor, sacó su espada e hizo señas al caballero Desdichado para que se pusiera en guardia. Éste saltó con ligereza de su caballo y también desenvainó su acero; pero los jueces o los mariscales del torneo los separaron diciéndoles que esta clase de combate no podía permitirse en aquella ocasión.

—Supongo que volveremos a vernos —dijo el templario a su vencedor, clavando en él sus ojos chispeantes de rabia—, y en sitio donde no haya nadie que pueda impedir nuestro enfrentamiento.

—Si así no sucede no será por culpa mía —repuso el caballero Desdichado—. A pie o a caballo, con espada o lanza, estaré siempre dispuesto a medirme con vos.

❖ ❖ ❖ ❖

No se habría limitado la querella a este cambio de palabras si los jueces, cruzando sus lanzas entre ellos, no los hubiesen obligado a separarse. El caballero Desdichado volvió a la puerta del lado norte y Bois-Guilbert entró en su tienda, donde pasó el resto de la jornada dominado por la rabia y la desesperación.

El vencedor vino sin apearse de su caballo y, abriendo su casco, anunció que bebía por todos los corazones verdaderamente ingleses y por el destierro de todo tirano extranjero. Ordenó luego a su trompeta que tocara un reto a los demás participantes del torneo y encargó a un heraldo de armas declarar que era su intención combatir con ellos sucesivamente en el orden que quisieran presentarse.

Seguro de su fuerza y de su estatura gigantesca, Frente de Buey fue el primero que salió a la arena. El caballero Desdichado obtuvo sobre él ventaja ligera, pero decisiva. Los dos caballeros rompieron sus lanzas, pero Frente de Buey perdió los estribos en el choque y fue declarado vencido por los mariscales. El desconocido no obtuvo menos éxito al combatir contra sir Felipe de Malvoisin. En su encuentro con sir Hugo de Grantmesnil dio muestras de tanta cortesía como de destreza y vigor había dado contra sus anteriores adversarios. El caballo de Grantmesnil, joven y fogoso, caracoleó y se encabritó de tal manera que su jinete no pudo hacer uso de la lanza; pero el caballero desconocido, en vez de sacar ventaja de este acciden-

❖ ❖ ❖ ❖

te, levantó su lanza al llegar al lado de su enemigo y la hizo pasar por encima de su casco, demostrando así que habría podido tocarle si hubiese querido. Entonces hizo dar media vuelta a su caballo y volvió a ocupar su sitio junto a la puerta del lado norte y encargó a un heraldo de armas que fuera a preguntarle a Grantmesnil si quería empezar de nuevo la contienda; pero éste respondió que se consideraba vencido tanto por la cortesía como por la habilidad de su antagonista. Ralph de Vipont completó el triunfo del caballero desconocido; Vipont fue derribado de su montura con tanta violencia que fue necesario que sus escuderos se lo llevaran rápidamente para ser atendido, pues había perdido el conocimiento en la dura caída.

Grandes vítores acompañaron la declaración unánime del príncipe Juan y los jueces de que el caballero Desdichado había ganado todo el honor de la competición. Las aclamaciones del público atronaron en el aire.

Los dos jueces del torneo que acababa de celebrarse, Ernesto de Martival y William de Wyril, fueron los primeros en felicitar al triunfador. Cuando invitaron al caballero a que se quitara el caso, el Desdichado se negó aun cuando debía presentarse con el rostro descubierto a recibir el trofeo de manos del príncipe Juan. El caballero Desdichado nuevamente se negó con cortesía a complacer, alegando que no podía darse a conocer en aquel momento por las razones que

❖ ❖ ❖ ❖

había expuesto a los heraldos de armas antes de entrar en combate. Ellos no insistieron, porque era el de mantener en secreto su nombre uno de los votos singulares que solían hacer los caballeros de aquella época, el más común hasta después de haber realizado una proeza o puesto fin a una aventura. Los mariscales no insistieron en penetrar los secretos del caballero vencedor y al anunciarle al príncipe el deseo que había expuesto de no darse a conocer, le pidieron permiso para presentárselo a fin de que pudiera recibir la recompensa que merecía su valor.

La curiosidad de Juan se vio excitada por el misterio de que el caballero desconocido intentaba rodearse, y ya bastante descontento por el resultado del torneo, en el cual habían sido vencidos los combatientes que él favorecía, respondió a los jueces con altanería:

—¡Por los ojos de Nuestra Señora! Este caballero es tan desdichado con su cortesía como con sus bienes, puesto que desea aparecer ante nosotros con el rostro cubierto. Caballeros —preguntó a sus cortesanos—, ¿puede adivinar alguno de vosotros quién es ese extraño desconocido?

—No seré yo ciertamente —repuso De Bracy—. Y no suponía que existiera en Inglaterra un campeón capaz de vencer en una misma justa a esos cinco caballeros. Por mi fe que no olvidaré en mi vida el vigor del golpe que ha derribado a De Vipont.

❖ ❖ ❖ ❖

—En cuanto a mí —dijo Waldemar Fitzurze—, me encargo de adivinar quién es. A menos que no sea una de esas buenas lanzas que siguieron al rey Ricardo a Palestina y vuelven convertidos en verdaderos caballeros errantes...

—¿No será el conde de Salisbury? —inquirió De Bracy—. Tiene precisamente la misma talla.

—Más bien puede ser sir Thomas Multon, caballero de Guilssand —replicó Fitzurze—. Salisbury es mucho más robusto.

—Puede haber dejado su robustez en Tierra Santa —dijo De Bracy.

—¿Y si fuese el rey en persona? —exclamó alguien.

—¡Ricardo Corazón de León! —repitieron todos a media voz y en tono temeroso.

—¡No lo quiera Dios! —dijo el príncipe Juan, volviéndose involuntariamente y poniéndose pálido como la misma muerte—. Waldemar, De Bracy, valientes caballeros, acordaos de vuestras promesas y manteneos fielmente a mi lado.

—No existe el menor peligro —aseguró Fitzurze—. ¿Habéis olvidado la estatura gigantesca de vuestro hermano? ¿Le habéis reconocido bajo esa armadura? De Wyril, Martival: apresuraos a conducir al vencedor al pie del trono, a fin de disipar el error que ha borrado el color de las mejillas del príncipe.

Los mariscales condujeron entonces al caballero Desdichado hasta el pie de las gradas del trono. Atormentado aún por la idea de que podía ser su hermano, aquel hermano a quien había ofendido tan gravemente, a quien quería despojar de su reino de quien no había recibido más que muestras de confianza y cariño, Juan no sintió disipar sus temores con las observaciones de Fitzurze; y mientras dirigía al vencedor, no sin sentirse confundido, algunas palabras de elogio por su valor y daba orden de que se trajera el hermoso corcel que era el premio del torneo, temblaba ante el temor de reconocer en la respuesta del caballero la voz viril y firme de Ricardo Corazón de León.

Pero el caballero Desdichado no respondió una sola palabra a los cumplimientos del príncipe y se limitó a saludarle profundamente.

Mientras tanto el prior de Jorvaulx, siempre solícito, recordó al príncipe Juan en voz baja que después de haber dado pruebas de valor el vencedor tenía que dar una de juicio eligiendo entre las damas a la que tenía que sentarse en el trono de la reina de la belleza y de los amores y coronar al vencedor al día siguiente. Juan hizo una seña al caballero cuando pasó por delante de él por segunda vez, y éste, haciendo volver bruscamente al caballo y deteniéndose al momento, permaneció inmóvil delante del príncipe con la punta de la lanza inclinada hacia el suelo.

—Señor caballero Desdichado —dijo el príncipe—, puesto que éste es el nombre bajo el cual queréis daros a conocer: una de la prerrogativas de vuestro

❖ ❖ ❖ ❖

triunfo consiste en elegir a la hermosa dama que como reina de la belleza y de los amores debe presidir mañana la fiesta. Si sois forastero en este país y deseáis que se os preste ayuda en la elección, me limitaré a deciros que Alicia, hija de nuestro valiente caballero Waldemar Fitzurze, es considerada en mi corte la dama más distinguida por sus encantos y su rango, señaló el sitio que la aludida ocupaba en una tribuna cercana.

—No obstante —prosiguió—, sois libre de entregar a la dama que os parezca esta corona que tiene que ser mañana el premio del vencedor; la que la reciba de vuestra mano será reconocida como la reina de belleza y amores. Alzad vuestra lanza.

El caballero obedeció y el príncipe colocó en el hierro de la lanza una corona de raso bordado con un adorno de oro que imitaba hojas de laurel, alrededor del cual había alternativamente corazones y puntas de flecha del mismo metal.

Montado en su hermoso corcel el caballero Desdichado dio lentamente la vuelta a las tribunas, pareciendo ejercer el derecho que tenía de examinar a todas las beldades que eran su ornato antes de fijar su elección en alguna de ellas. Y pasó sin detenerse delante de la tribuna donde estaba Alicia.

Por fin el vencedor se detuvo delante de la tribuna donde se encontraba lady Rowena, y al instante convergieron todas las miradas en ella.

❖ ❖ ❖ ❖

Lady Rowena había visto con tanto interés como Cedric los acontecimientos de la jornada, prestándoles gran atención. El indolente Athelstane había salido también por un instante de su constante apatía para apurar una gran copa de vino por el éxito del caballero Desdichado.

—¡Padre Abraham! —había exclamado Isaac de York al ver entrar en liza al caballero Desdichado—. ¡Es él! ¡Es el mismo! ¡Mira, Rebeca, hija mía, mira qué porte tan noble y altivo el de ese gentil! Ese buen caballo de Berbería, que han traído desde tan lejos, para él tiene la misma importancia que una potranca normanda. Y la hermosa armadura que con tantos esfuerzos elaboró José Pereira, el armero de Milán para el caballero tiene tanta importancia como si se la hubiese encontrado en un camino.

—¿Querríais, pues, padre mío —repuso Rebeca—, que tuviera más cuidado de su caballo y de su armadura que de su propia persona, que expone a tan grandes peligros?

—Hija mía —dijo Isaac con cierto calor—, no sabes lo que dices. Su cuello y sus miembros le pertenecen. Pero su caballo y su armadura son de... ¡Bienaventurado Jacob! ¿Qué iba a decir? No importa; es un joven valiente. Mira, Rebeca, mira; va a atacar al filisteo. Ruega, hija mía, ruega por que no le suceda ninguna desgracia al valeroso joven, ni a su caballo ni a su rica armadura. ¡Dios de mis padres! ¡Ha vencido! El valien-

❖ ❖ ❖ ❖

te joven ha ganado a sus contrincantes hermosos caballos y armaduras, como despojos bien adquiridos.

Sea por indecisión sea por cualquier otro motivo, el caballero Desdichado permaneció algunos instantes sin moverse delante de la tribuna, mientras todos los espectadores con los ojos puestos en él, esperaban lo que iba a hacer. Por fin, bajando despacio y con gracia el hierro de su lanza, depositó la corona a los pies de la hermosa Rowena. Todas las trompetas resonaron al instante y los heraldos de armas proclamaron la realeza de lady Rowena. Cedric estaba en el colmo de la alegría y Athelstane también, aunque lo manifestara menos ostensiblemente.

El Desdichado, deseando librarse de la admiración y curiosidad de los espectadores, aceptó quedarse en una de las tiendas que le brindaron los jueces, en uno de los extremos de la liza.

Apenas había el caballero entrado en su tienda cuando un enjambre de pajes y escuderos acudieron a su servicio quitándole la armadura y ofreciéndole variados vestidos que elegir, así como para disponerle el descanso de un buen baño que ya tenían dispuesto. Sin embargo, por el mucho celo desplegado en servirle y la evidente curiosidad que a todos movía para descubrir la identidad del misterioso caballero, el Desdichado, agradeciendo con afables palabras tantas atenciones, despidió a todos cuantos le rodeaban y prefirió atenderse él mismo. Con su escudero le

❖ ❖ ❖ ❖

bastaba y a solas con él se quedó al fin, burlando de tal manera la curiosidad de cuantos deseaban saber quién era el caballero ganador de tan merecidos lauros. Por una parte el escudero, de talante aldeano, parecía tan celoso como su señor en lo de conservar el incógnito de éste. Al quedarse solo en la tienda con el caballero, le quitó la armadura y le sirvió la cena.

—Bueno, Gurth —dijo entonces el caballero Desdichado a su escudero—, ya ves que no he empañado la gloria de los caballeros ingleses.

—Y yo —repuso Gurth—, para ser un porquero sajón, ¿no he representado bien el papel de escudero normando?

—Muy bien; pero he tenido siempre el temor de que tu aire desmañado te diera a conocer.

—¡Bah, bah! No temo ser reconocido por nadie, de no ser por mi camarada Wamba, de quien no sé decir si es más loco que astuto. Sin embargo no he podido contener la risa al ver pasar por mi lado a mi anciano señor, que cree firmemente que Gurth está entregado al cuidado de sus cerdos en los barrancos de Rotherwood. Si llega a descubrirme...

—Ya sabes lo que te he prometido, Gurth.

—Después de todo, ¿qué me importa? No dejaré jamás a mi amo por cuidar de mi piel; tengo el cuero más duro que cualquiera de los cerdos de mi piara, y el látigo no me asusta.

❖ ❖ ❖ ❖

—Aun así, Gurth; te recompensaré por el riesgo que estás corriendo por el amor que me profesas. Mientras tanto, toma estas diez monedas de oro.

—Muchas gracias —repuso Gurth metiéndoselas en el bolsillo—; heme más rico que jamás porquero alguno lo fue.

Se tendió el caballero sobre un blando lecho que los jueces del torneo le habían hecho preparar, y luego se retiraron respetando su descanso. El leal Gurth cruzó la entrada de la tienda con su cuerpo tendido sobre una magnífica piel de oso. Nadie, aunque hubiese osado entrar en la tienda, lo hubiera logrado sin despertarle inmediatamente pues el abnegado servidor dormía con un ojo siempre abierto.

Capítulo 7

El nuevo día mostró un cielo despejado. Ni una nube lo manchaba. El esplendor de la nueva jornada lo alumbraba todo y en la llanura ya se veían caminar los primeros espectadores que habían acudido antes que los demás para ocupar los mejores sitios del lugar donde debían celebrarse las justas.

Los mariscales del torneo también llegaron pronto acompañados de los heraldos de armas, a fin de inscribir los nombres de los caballeros que se presentaran para entrar en liza y preguntarles bajo qué pendón deseaban combatir.

La costumbre señalaba que los contendientes debían agruparse en dos bandos; de manera que el caballero Desdichado fue elegido para mandar un grupo, mientras que el otro estaría a las órdenes de Brian de Bois-Guilbert. Los que habían combatido la víspera con sir Brian se colocaron, naturalmente, a su lado, con excepción de Ralph de Vipont, cuya caída le había imposibilitado para portar tan pronto la armadura. No faltaron nobles que acudieron para combatir bajo los pendones de uno o de otro jefe, y ya se habían inscrito cerca de cincuenta caballeros cuando los mariscales declararon que ya no se

❖ ❖ ❖ ❖

admitirían más, con gran disgusto por parte de muchos que llegaron demasiado tarde.

Sobre las diez de la mañana toda la llanura estaba cubierta de espectadores, tanto hombres como mujeres, a caballo o a pie, y poco después ruidosas fanfarrias anunciaron la llegada del príncipe Juan y de su séquito.

En el mismo instante llegó también Cedric con lady Rowena. Athelstane no estaba con ellos; el barón se había puesto la armadura con objeto de contarse entre los combatientes, y, con gran sorpresa de Cedric, se puso de parte del caballero del Temple. El Sajón hizo a su amigo vivas advertencias sobre la elección indigna que había hecho, pero fueron inútiles y recibió respuesta evasiva.

En cuanto el príncipe Juan vio llegar a la que debía ser la reina de la jornada, fue a su encuentro con aquel aspecto de cortesía que sabía adoptar cuando lo deseaba y, quitándose la rica toca que le cubría la cabeza, echó pie a tierra y ofreció la mano a lady Rowena para ayudarla a apearse de su palafrén, mientras uno de los principales señores de su séquito sostenía la brida y los demás caballeros se aproximaban, con la cabeza descubierta como el príncipe.

—Seamos los primeros —dijo Juan— en dar ejemplo del respeto que todos debemos a la reina de la belleza y de los amores y apresurémonos a escoltarla hasta el trono que hoy debe ocupar. Señoras

—añadió—, acompañad a vuestra reina y rendidle los honores que, sin duda, se os ofrecerán algún día también a vosotras.

Apenas lady Rowena estuvo sentada, repercutieron en el aire el sonido de las fanfarrias y las aclamaciones de la multitud; pero poco después los heraldos de armas impusieron silencio hasta que terminara la lectura de las reglas del torneo.

Era un espectáculo imponente y soberbio el que ofrecían tantos valientes caballeros revestidos con ricas armaduras, montando soberbios corceles y disponiéndose a una lucha muchas veces mortal, de la cual esperaban la señal con el mismo ardor que sus generosas monturas, que demostraban su impaciencia relinchando y piafando incesantemente.

Los caballeros mantenían sus lanzas enhiestas; el sol hacía brillar sus puntas aceradas y las banderolas con que estaban adornadas flameaban por encima de los penachos que sombreaban los cascos. Permanecieron en esta posición hasta que William de Wiryl exclamó con voz de trueno: "¡Soltad!" Era la señal. Resonaron las trompetas simultáneamente; los caballeros bajaron sus lanzas, pusiéronlas en ristre e hincaron la espuela en los ijares de sus corceles; las primeras filas de ambos bandos se precipitaron una contra otra a galope tendido y cuando se encontraron en el centro de la arena el choque fue tan tremendo que se oyó a más de un kilómetro de distancia.

❖ ❖ ❖ ❖

A causa de la espesa polvareda que se había levantado bajo los cascos de los caballos, los espectadores, inquietos, no pudieron saber durante un momento cuál había sido el resultado de este primer encuentro. Cuando se pudo distinguir a los combatientes se vio que la mitad de los jinetes de cada bando habían sido desarzonados, vencidos unos por el arte y la destreza y otros por la fuerza. Algunos estaban tendidos en tierra en estado tan lastimoso que parecía que no iban a poder levantarse en mucho tiempo; otros ya estaban en pie y atacaban a los adversarios que se encontraban en idéntica situación, mientras que dos o tres combatientes que habían recibido heridas profundas se servían de sus bandas para contener la sangre y se alejaban penosamente de la liza. Los que no habían sido desarzonados, pero cuyas lanzas estaban rotas, habían echado mano a la espada y profiriendo su grito de guerra se atacaban con encarnizamiento.

Aumentó el tumulto cuando la segunda fila de cada bando, que servía de reserva, se lanzó a su vez a la refriega. La tropa de Brian de Bois-Guilbert gritaba: "¡Ah! *¡Beauseant! ¡Beauseant!* ¡Por el Temple! ¡Por el Temple!", y los caballeros opuestos respondían con gritos de: "¡Desdichado! ¡Desdichado!", grito de guerra que habían tomado de la divisa grabada en el escudo de su jefe.

Pero en aquel momento el grupo del caballero Desdichado tuvo la desventaja. El brazo gigantesco de

❖ ❖ ❖ ❖

Frente de Buey por un lado y la fuerza prodigiosa de Athelstane por el otro habían derribado a todos los que se pusieron al alcance de sus ataques, y al verse libres de sus adversarios inmediatos estos dos caballeros tuvieron la misma idea, que consistía en asegurar el triunfo de su partido alcanzando al templario para combatir al líder del bando contrario. Le habría sido completamente imposible al caballero Desdichado sostener un solo instante aquella lucha desigual e inesperada si los espectadores, a quienes nada impedía que favoreciera un caballero atacado de improviso por más guerreros, no le hubiesen advertido a tiempo de la llegada de los otros adversarios.

—¡Cuidaos, caballero Desdichado! —gritaban desde todas partes.

Vio éste en seguida el peligro que corría y, después de haber descargado un terrible golpe sobre la armadura del templario, hizo a continuación retroceder su corcel a fin de poder evitar el doble asalto de Athelstane y Frente de Buey, quienes se habían lanzado con tal ímpetu que pasaron entre el caballero del Temple y su adversario sin poder detener sus cabalgaduras. Por fin consiguieron dominarlas y se reunieron los tres para hacer morder el polvo al caballero Desdichado. Sin la fuerza y la agilidad de su noble corcel, premio de su victoria de la víspera, pronto habría sucumbido. Además que el caballo de Bois-Guilbert estaba herido y los de Frente de Buey y Athelstane empezaban a flaquear bajo el peso de sus amos y de las pesadas armaduras con que éstos iban cubiertos; el caballero Desdichado supo sacar partido de esta ventaja; maniobró su caballo con tanto arte que por algunos minutos consiguió mantener a raya a sus adversarios, separándolos cuanto le fue posible y precipitándose tan pronto sobre uno como sobre otro, descargándoles fuertes golpes con la espada y retirándose antes que sus rivales tuvieran tiempo de rehacerse.

—¡No, por la luz del cielo! —exclamó el príncipe Juan—. Ese caballero que se obstina en ocultar su nombre y desdeña la hospitalidad que le ofrecemos ya ha obtenido un premio; que deje que otros ganen ahora.

Mientras el príncipe pronunciaba estas palabras un incidente imprevisto vino a cambiar el aspecto del combate. En la disminuida tropa del caballero Desdichado se encontraba un guerrero alto y robusto, revestido de una armadura negra y montado sobre un caballo del mismo color, que no llevaba ninguna divisa en su escudo y que había demostrado hasta entonces tomar muy poco interés por el combate, limitándose a defenderse sin atacar y pareciendo representar casi el papel de simple espectador, por lo que los asistentes le habían aplicado en seguida el apodo de Negro Perezoso.

Este caballero pareció salir de repente de su apatía al ver al jefe de su tropa en situación tan crítica, y picando espuelas acudió en su ayuda, gritando con voz de trueno: "¡Desdichado, al desquite!" Su reac-

❖ ❖ ❖ ❖

ción fue de lo más oportuna, porque mientras el caballero Desdichado acorralaba al templario, Frente de Buey se había acercado a él y ya levantaba la espada para herirle... cuando... llega el Caballero Negro como una tromba, le ataca y en un santiamén Frente de Buey rueda con su caballo por tierra. El Negro Perezoso se vuelve entonces contra Athelstane de Coningsburgo, y como su espada se había roto sobre la armadura de Frente de Buey, arranca de manos del sajón la maza con que éste se disponía a herirle y le asesta tan violento golpe en la cabeza que Athelstane cae al lado de su compañero.

Después de esta doble victoria, aplaudida largamente, el caballero volvió a su actitud pasiva, dejando que su líder se las entendiera con Bois-Guilbert.

Ya mano a mano, el Desdichado atacó con mayor eficacia a su enemigo. El caballo del templario sangraba mucho y en una carga del Desdichado, Brian cayó con todo y montura sin poder desestribarse. Su antagonista saltó de la silla y con la espada en la mano lo intimó a rendirse. Mas el príncipe Juan, que deseaba evitar esa vergüenza a su partidario, arrojó su bastón a la liza dando por terminado el combate.

Así concluyó esta memorable fiesta de armas de Ashby de la Zouche, uno de los torneos más importantes de aquel siglo; perecieron cuatro caballeros en el acto, uno de los cuales por sofocación producida por el peso de su armadura, más de treinta recibieron

❖ ❖ ❖ ❖

heridas graves y cuatro o cinco sucumbieron pocos días después a consecuencia de las mismas. También se le denomina a este torneo en las antiguas crónicas: "la hermosa y alegre fiesta de armas de Ashby".

Imponíase entonces que el príncipe Juan designara al caballero que se había distinguido por las mayores hazañas, y decidió que el honor de la jornada recayera en el que la voz pública había apodado el Negro Perezoso. Fue inútil que se insistiera cerca del príncipe para hacerle comprender que, en realidad, quien había logrado la victoria era el caballero Desdichado, puesto que durante la jornada había derribado a seis jinetes por su propia mano y había acabado por derribar al jefe del bando contrario; el príncipe Juan persistió en su juicio alegando que el caballero Desdichado y sus compañeros habrían sido vencidos sin el poderoso socorro del caballero de las armas negras, al cual aseguraba que correspondía el premio.

Se llamó en seguida al vencedor; pero, con gran sorpresa por parte de todos los espectadores, no se presentó. Había abandonado la arena en cuanto terminó el combate y algunas personas lo vieron dirigirse hacia el bosque con la misma lentitud y el mismo aspecto de indiferencia que le habían valido el sobrenombre de Negro Perezoso. Las trompetas lo llamaron dos veces; otras tantas hicieron los heraldos de armas la proclamación de su victoria; y en su ausencia no hubo más remedio que nombrar a otro caballero

❖ ❖ ❖ ❖

para recibir los honores. El príncipe Juan ya no tuvo excusa para negarse a reconocer los derechos del caballero Desdichado y le proclamó vencedor.

Mientras los heraldos gritaban por todo el recinto: "¡Honor a los valientes! ¡Gloria a los vencedores!", las damas agitaban sus pañuelos de seda y sus velos bordados y el pueblo atronaba el espacio con fuertes aclamaciones, los mariscales condujeron en medio de la música al caballero Desdichado hasta los pies del trono ocupado por lady Rowena, de quien tenía que recibir la corona de honor.

Hicieron colocar de rodillas al caballero en la última grada del trono; porque desde el final del combate, en todos sus actos así como en todos sus movimientos no parecía obrar más que a impulsos de los que le rodeaban, y se observó que vacilaba al atravesar por segunda vez la arena. Lady Rowena descendió de su trono con tanta gracia como dignidad, y ya se disponía a colocar sobre el casco del vencedor la corona que tenía en las manos cuando los mariscales gritaron:

—No, no, tiene que ser sobre la cabeza descubierta.

El caballero murmuró débilmente algunas palabras que apenas se entendieron, pero que parecían expresar el deseo de que la visera de su casco permaneciera baja. Sea para no violar las leyes del ceremonial o fuera por curiosidad, el caso es que los mariscales no hicieron el menor caso de su súplica; le quitaron el casco y quedó al descubierto el semblante de un joven

❖ ❖ ❖ ❖

de aproximadamente veinticinco años, de agradable fisonomía bronceada por el sol. Estaba pálido como un difunto y en su rostro había sangre.

Cuando lady Rowena le vio, contuvo un grito que se ahogó en su garganta, y aunque todo su cuerpo temblaba por la violencia de la emoción sufrida tuvo la energía necesaria para depositar la corona sobre la cabeza del vencedor y proclamar con voz clara y fuerte:

—Te doy esta corona, señor caballero; es la recompensa del valor que hoy has desplegado.

Rowena se detuvo un instante y añadió, con firmeza:

—Jamás corona de caballería fue colocada sobre sienes más dignas de ceñirla.

El caballero inclinó la cabeza y besó la mano de la joven reina; luego, inclinándose aún más, cayó a sus pies desvanecido.

La consternación se apoderó de cuantos presenciaron la escena. Cedric, a la vista del hijo desterrado, parecía fulminado por una súbita emoción. De repente se precipitó con el propósito de separarle de lady Rowena, pero fue innecesario porque los mariscales se le adelantaron con prontitud. Adivinaron la causa del desvanecimiento de Ivanhoe y se apresuraron a despojarle de la armadura. Entonces vieron que la punta de una lanza había perforado la coraza causándole una herida en el costado, de la que la sangre goteaba como generosas lágrimas. Era aquélla auténtica sangre de caballero y valeroso licor de la cristiandad.

Capítulo 8

Una vez que el Caballero Negro se hubo alejado del torneo partió hacia el convento de San Batolfo, adonde Ivanhoe, después de la herida en el costado, había sido conducido por el leal Gurth y Wamba. Después de una larga conferencia entre los dos caballeros y el prior, al día siguiente el Caballero Negro se dispuso a ponerse nuevamente en camino con Wamba, que tenía que servirle de guía.

—Voy a Coningsburgo —le dijo a Ivanhoe—, puesto que Cedric, vuestro padre, debe encontrarse allí para los funerales de su amigo Athelstane. Deseo ver a vuestros amigos sajones, Wilfrido, y estrechar más la amistad del pasado. Os reuniréis allí conmigo a fin de que me encargue de reconciliaros con vuestro padre.

Ivanhoe demostró el más vivo deseo de acompañarle, pero el Caballero Negro no quiso acceder de ningún modo; en virtud del estado de sus heridas, ordenó a Ivanhoe que esperara por lo menos hasta el día siguiente. Wamba, representando el papel de fraile o de bufón, le bastaba para hacerle compañía. El loco se manifestó encantado de poder asistir a la comida de los funerales de Athelstane, y añadió:

❖ ❖ ❖ ❖

—Sin embargo, señor caballero, cuento con vuestro valor para hacer las paces con Cedric, si mi ingenio viniera a malquistarnos.

—¿Y qué éxito podría esperar mi valor si tu ingenio llegara a fracasar? Enséñame eso.

—El ingenio puede mucho, señor caballero; es un ser diestro, inteligente, que ve el lado débil del vecino, que se aprovecha de él y sabe mantenerse caballero cuando la tormenta de las pasiones es demasiado fuerte. Pero el valor es un mozo con bastante vigor a quien nada puede resistir, que va contra viento y marea y siempre avanza derecho a su fin. Así, pues, señor caballero, yo me encargo de gobernar el ingenio de nuestro señor durante el buen tiempo; pero en caso de tempestad recurriré a vos.

El caballero y Wamba montaron a caballo y partieron. Ivanhoe los siguió con la mirada hasta que los árboles los ocultaron a su vista, y entonces volvió a entrar en el convento.

Su impaciencia no le permitió permanecer allí mucho tiempo. No hacía más que una hora que el caballero y el bufón habían partido cuando solicitó una entrevista con el prior, a quien dijo que se encontraba mucho mejor, que el bálsamo de que se habían servido para curarle poseía una virtud maravillosa, y que tenía tantas ideas en la cabeza que no le permitían permanecer más tiempo en aquel lugar. El prior protestó diciéndole que sería una vergüenza para el con-

❖ ❖ ❖ ❖

vento que el hijo de Cedric el Sajón saliera de sus muros sin estar curado del todo. Ivanhoe objetó que experimentaba ciertos presentimientos nefastos, y añadió que no había que despreciarlos, sino considerarlos como advertencias dadas por los ángeles guardianes.

—No puedo negar—dijo el prior— que el Cielo tenga ese poder y que hayan sucedido cosas semejantes; pero en tal caso las inspiraciones tenían un objeto útil y evidente; mientras que en el nuestro, por el contrario, ¿de qué serviría seguir los pasos de aquel a quien, herido como estáis, no podríais servir de ayuda en caso que le atacaran?

—Os engañáis, señor prior; me siento con suficiente fuerza para intercambiar unos ataques de lanza con quien quisiera desafiarme. Pero, ¿el caballero a quien deseo seguir puede correr otros peligros en los cuales puedo serle útil sin tener que recurrir a las armas? Nadie ignora que los sajones no quieren a la raza normanda: y, ¿quién sabe lo que puede suceder si se presenta entre ellos cuando sus corazones están irritados por la repentina muerte de Athelstane, como bien sabéis a manos del infame templario, y sus cabezas calientes por la borrachera que ellos llaman festín de funerales? De manera que voy a partir; he deseado veros para despedirme y rogaros me prestéis un palafrén cuyo paso sea más suave que el de mi corcel.

—Dispondréis de mi propia mula —dijo renuente el digno prior—; está acostumbrada a la silla y tiene el andar casi tan suave como la del abate de San Alban. Prestad atención, sin embargo, hijo mío: *Malkin* no está más acostumbrada a las armas que su amo, y no me atrevo a garantizaros que quiera soportar la vista y el peso de vuestro aparato guerrero.

—Fiaos de mí —repuso Ivanhoe—; mi armadura no pesa tanto como para fatigarla.

Gurth llegó en aquel momento y aseguró a los talones de su señor un par de grandes espuelas de oro, capaces de convencer al caballo más reacio de que la mejor elección era obedecer al jinete.

Esto inspiró temores al prior por su pobre *Malkin,* y empezando a arrepentirse de su cortesía declaró que el animal se encabritaba al primer espolonazo, y que sería mejor tomar la del proveedor, que era más tratable. Pero Ivanhoe, dándole las gracias de nuevo, declaró que aceptaba a *Malkin* asegurándole que no abusaría de su paciencia. Reiteró sus saludos y bajó la escalera con una rapidez y una ligereza sorprendentes. Luego, impaciente por escapar de los temores y recomendaciones del prior, saltó sobre la mula y, seguido de Gurth, se adentró en el bosque tras la pista del Caballero Negro.

Mientras tanto éste y su guía cabalgaban. Tan pronto el buen caballero tarareaba a media voz canciones que había aprendido de algún trovador enamorado, como animaba con sus preguntas la disposición natural de Wamba a charlar, de suerte que su conversación

❖ ❖ ❖ ❖

era una mezcla bastante rara de cantos y de chanzas. El camino se hacía más fácil.

De pronto el bufón se puso a mirar con insistencia el cuerno suspendido del tahalí del caballero.

—Sí —dijo éste—, es una prenda de la amistad de Locksley, el bravo arquero del bosque, aunque es probable que no tenga que recurrir nunca a ella. Tres notas arrancadas a este cuerno pondrían a mis órdenes una tropa de valientes arqueros.

—Señor caballero —dijo Wamba—, desearía poder examinar más de cerca un cuerno que posee tal virtud.

Queriendo satisfacer la curiosidad de su compañero de viaje, el caballero descolgó el cuerno, que llevaba suspendido del tahalí, y se lo entregó. Wamba se lo colgó en seguida del cuello.

—*Wa-ha-sa* —dijo silabeando en voz baja las notas convenidas—; conozco la clave tan bien como el que más.

—¿Qué quieres decir, bribón? Devuélveme el cuerno.

—Contentaos, señor caballero, con saber que está en manos seguras. Cuando el valor y la locura viajan en compañía, la locura debe encargarse del cuerno, porque tiene mejor viento.

—Wamba —dijo el caballero—, eso es extralimitarse. Ten cuidado y no abuses de mi paciencia.

—Nada de violencias, señor caballero —repuso Wamba, apartándose de su compañero—, o la locura

❖ ❖ ❖ ❖

os demostrará que posee un buen par de piernas y dejará al valor que busque su camino como pueda en este bosque.

—Sabes encontrar el punto débil de la coraza —dijo el caballero—, y además no tengo tiempo que perder; conserva, pues, el cuerno, si es tu gusto, y avancemos sin más tardanza.

—De manera que la locura y el valor se han reconciliado. Pero ahora que la locura se ha encargado del cuerno, sacuda el valor su melena, porque, si no me engaño, allá abajo en la planicie hay gente aguardándonos. Acabo de ver brillar a través de los árboles algo que se parece a un morrión. Si fuese gente honrada seguiría el sendero, y esa maleza parece a propósito para ocultar a gente con malas intenciones.

—¡Por mi fe, que tienes razón! —dijo el caballero bajando la visera de su casco.

En el mismo instante tres flechas procedentes del lugar que Wamba había señalado le alcanzaron a la vez. Una le dio en la frente, y le habría atravesado el cerebro si hubiese dejado abierta la visera del casco; las otras dos fueron detenidas por el escudo que llevaba suspendido del cuello.

—Gracias, mi buena armadura —exclamó el caballero—. Vamos, Wamba, valor, ¡adelante sobre esos miserables!

Y lanzando su caballo hacia la planicie descubrió a siete hombres de armas que se arrojaron lanza en ristre contra él. Tres de estas armas homicidas le tocaron y se rompieron como si hubiesen chocado contra una torre de bronce. Los ojos del Caballero Negro parecían arrojar fuego por los espacios abiertos de la visera. Se levantó sobre los estribos y gritó con dignidad:

—¿Qué significa esto, señores míos?

Sin embargo, los atacantes le contestaron solamente sacando la espada, rodeándolo y gritando:

—¡Muerte al tirano!

Por muy determinados que se vieren los que atacaban al caballero y al bufón, manteníanse fuera del alcance de un brazo que parecía descargar sus golpes sólo para dar la muerte; y se podría creer que sólo el Caballero Negro habría puesto en fuga a todos sus enemigos, cuando otro caballero, cubierto con armas azules, que hasta entonces había permanecido oculto, se precipitó contra el Caballero Negro con la lanza levantada; sólo que en vez de herir a su adversario la dirigió contra la mula que montaba y ésta cayó mortalmente herida.

—¡Es la actitud de un cobarde y de un felón! —exclamó el Caballero Negro, arrastrado por la caída de su montura.

Todo esto sucedió con tanta rapidez que Wamba apenas tuvo tiempo para llevarse el cuerno a los labios y dejar oír a lo lejos los sones que oyera muchas veces y que no había olvidado. A este sonido los asesinos retrocedieron, temerosos de que llamara a un séquito

❖ ❖ ❖ ❖

numeroso que se encontraba a escasa distancia, y aunque estaba mal armado, Wamba no vaciló en socorrer al caballero para ayudarle a levantarse.

—¡Miserables cobardes! —exclamó el Caballero Azul—. ¿No os da vergüenza huir al sonido de un cuerno?

Impulsados con estas palabras volvieron a la carga y atacaron de nuevo al Caballero Negro, quien no tuvo más recurso que repegarse a un roble y defenderse con la espada. El caballero felón se apoderó de otra lanza, tomó distancia y acechó el momento en que su temible antagonista se encontraba acosado más estrechamente para precipitarse contra él a gran galope, con la esperanza de clavarle en el árbol; pero Wamba hizo fracasar su intención. Supliendo la fuerza con la agilidad y siendo despreciado por los hombres de armas, que se ocupaban de un objetivo más importante, detuvo al Caballero Azul en su carrera cortando las cinchas de su caballo con un revés de su cuchillo de caza. El caballero fue derribado por el corcel; pero la situación del Caballero Negro no dejaba de ser peligrosa, porque seguía acosado por muchos hombres bien armados. Sentía ya que pronto le abandonarían sus fuerzas en aquella lucha desigual cuando una flecha arrojada por una mano invisible atravesó al adversario que le acosaba más de cerca, y casi al mismo tiempo una tropa de arqueros, capitaneada por Locksley y un eremita llegó a la planicie y, cayendo sobre los asesinos, pronto impuso justicia tendiéndolos a todos por tierra, muertos o mortalmente heridos.

El Caballero Negro dio las gracias a sus liberadores con un aire de dignidad que aún no se había observado en él, porque hasta aquel momento más bien se le habría tomado por un soldado de fortuna que por un hombre de rango elevado. Luego, declarando que convenía saber con qué enemigos se había enfrentado, ordenó a Wamba que levantara la visera del casco de aquel Caballero Azul que parecía ser el jefe. Wamba obedeció y el Caballero Negro exclamó, sorprendido de ver un semblante que no esperaba:

—¡Waldemar Fitzurze! ¿Qué motivo ha podido llevar a un hombre de tu rango y de tu nacimiento a tal acto de perfidia?

—Ricardo —respondió el cautivo levantando orgullosamente la mirada hasta él—, conoces poco a los hombres si ignoras hasta dónde puede conducir la ambición y la sed de venganza a los hijos de Adán.

—¡La venganza! ¿En qué te he ofendido?

—¿No desdeñaste la mano de mi hija? ¿No es ésta una injuria que no puede perdonar un normando cuya sangre es tan noble como la tuya?

—¡La mano de tu hija! Y por eso queríais arrancarme la vida... No, no... Amigos míos, alejaos un poco; quiero hablar a solas con él —los hombres del bosque lo obedecieron en seguida—. Ahora que nadie nos escucha, Wal-

❖ ❖ ❖ ❖

demar, dime la verdad: ¿quién te ha inducido a cometer este crimen?

—El hijo de tu padre, y obrando así no hacía más que vengar a ese padre de tu desobediencia hacia él.

Los ojos de Ricardo chispearon de furor, pero recobró en seguida su sangre fía.

—¿No me pides gracia, Fitzurze? —preguntó Ricardo.

—El que está bajo las garras del león sabe que no debe esperarla.

—El león —dijo Ricardo con orgullo— no se alimenta con los cadáveres que encuentra. Te concedo la vida sin que me la pidas, pero a condición de que abandones Inglaterra dentro de tres días y vayas a ocultar tu infamia en tu castillo de Normandía, y bajo palabra de que nunca se abrirá tu boca para nombrar al príncipe Juan como cómplice de tu atentado. Si no, te haré colgar en la torre de su castillo para que sirvas de pasto a los cuervos —luego se dirigió al jefe de los guerreros del bosque—: Locksley, veo que vuestros hombres han tomado los caballos de los forajidos a quienes han vencido; que le den uno a este caballero y que le dejen partir.

—Si no juzgara —repuso Locksley— que la voz del que me habla tiene derecho a exigir obediencia, enviaría a ese malvado una flecha que le evitaría la fatiga del viaje.

—Tu corazón es verdaderamente inglés, Locksley —dijo el Caballero Negro—. No te engañas creyendo que tengo derecho a tu obediencia. Soy Ricardo, rey de Inglaterra.

Al oír estas palabras, pronunciadas con la majestad propia al rango y al carácter de Ricardo Corazón de León, todos los proscritos se arrodillaron ante él, le prestaron juramento de fidelidad e imploraron el perdón de sus ofensas.

—Levantaos, amigos míos —les dijo Ricardo—; los servicios que habéis prestado a mis súbditos oprimidos ante los muros de Torquilstone, y el que acabáis de prestarme a mí mismo, hacen olvidar las faltas de que podáis haberos hecho culpables. Levantaos, os digo; sed siempre súbditos leales y procurad llevar una vida más regular. En cuanto a ti, valiente Locksley...

—No me llaméis Locksley, mi soberano. Mi señor tiene derecho a conocer mi verdadero nombre, un nombre que según temo ha llegado con frecuencia a sus oídos. Yo soy Robin Hood, del bosque de Sherwood.

—¡Ah, ah! —exclamó Ricardo—. El rey de los proscritos, el príncipe de los buenos compañeros. ¡Claro! ¿Quién no ha oído pronunciar tu nombre? Ha llegado hasta Palestina. Pero tranquilízate, bravo Robin Hood, que nada de lo que has podido hacer durante mi ausencia y en estos tiempos de revuelta será motivo de sanción en tu contra.

—Todo lo hecho por estos hombres ha sido dictado por el anhelo de justicia —dijo entonces Wamba, que no quería perder la ocasión de manifestar su adhesión

❖ ❖ ❖ ❖

a Robin y sus hombres—. ¿No dice el proverbio: Cuando el gato está ausente, los ratones se divierten?

—¡Cómo! Wamba, ¿estás aquí? —exclamó Ricardo—. Al no oír antes tu voz supuse que habíais emprendido la fuga hacía rato.

—¡Emprender la fuga! —repuso Wamba—. ¿Cuándo habéis visto a la locura apartarse del valor? Ahí tenéis mi trofeo de la lucha: ese hermoso caballo gris, que quisiera ver firme sobre sus patas, con tal que su amo estuviera montado en él. Verdad es que al principio he cedido un poco de terreno, porque mi túnica no es una armadura a prueba de lanzas como una cota de malla; pero si no he combatido con la espada en la mano, convendréis en que he tocado muy bien la carga.

—Sí, valiente Wamba —repuso el rey—; no se olvidarán tus servicios y serán recompensados.

—*¡Confiteor! ¡Confiteor!* —exclamó de pronto en tono de sumisión otra voz que se elevó cerca de Ricardo—. Éste es todo el latín que puedo encontrar en este momento. Confieso mis faltas e imploro su absolución.

Volvióse el rey y vio un eremita de rodillas, con el rosario en la mano y teniendo a un lado el bastón de doble punta, mismo que no había permanecido ocioso durante el combate. No se veía más que lo blanco de los ojos del capellán, de tanto que intentaba levantarlos al cielo, y hacía los mayores esfuerzos para dar a su fisonomía un aspecto de profunda contrición;

❖ ❖ ❖ ❖

pero un algo de chocarrero y divertido en sus maneras dejaba entrever que su devoción y su temor eran solamente afectación.

—¡Ah, ah! ¿Eres tú, santo eremita de Copmanhurst? ¿Qué tienes que tanto te inquieta? ¿Temes que tu diocesano sepa con qué celo sirves a Nuestra Señora y a san Dunstán? No temas nada; Ricardo de Inglaterra no ha traicionado nunca los secretos que le han sido confiados.

—Muy gracioso, soberano —dijo el eremita, bien conocido en la historia de Robin Hood con el nombre de hermano Tuck—: no es a la cruz a quien temo, sino al cetro.

—De mi parte no temáis nada en consideración de los buenos servicios que me habéis prestado en esta contienda. Es más, conociendo el buen apetito de que gozáis, quede escrito que concedo al pobre clérigo de san Dunstán el derecho de caza en mis bosques de Warncliff. Ten cuidado, sin embargo, porque sólo te permito matar tres gamos cada temporada; y si este permiso no te basta para matar treinta, no soy caballero cristiano ni rey de Inglaterra.

—Vuestra majestad puede estar convencido de que, con la gracia de san Dunstán, intentaré con toda humildad operar el milagro de la multiplicación de los gamos.

—No lo pongo en duda, hermano; pero como la caza es una actividad que da sed, mi bodeguero re-

❖ ❖ ❖ ❖

cibirá orden de proveerte todos los años de un tonel de vino de Canarias, otro de malvasía y tres barriles de cerveza de primera calidad; y si todo esto no puede apagar tu sed, vendrás a mi corte y trabarás conocimiento con mi bodeguero.

Entonces el soberano tendió la mano al ermitaño, que, confundido y emocionado, arrodillándose ante el rey le besó con leal fervor.

En aquel preciso instante dos nuevos personajes aparecieron en la escena. Eran un caballero y su escudero.

Capítulo 9

Eran Wilfrido de Ivanhoe, montado en la mula del prior de San Botolfo, y el abnegado Gurth, que montado en el caballo de su señor se daba grandes aires de importancia, y no le faltaban motivos pues era, ciertamente, escudero de un muy noble caballero. Quedóse Ivanhoe enormemente sorprendido al ver a su soberano cubierto de sangre, en medio de seis o siete cadáveres, en la pequeña planicie donde había tenido lugar el combate, y rodeado de gente que le pareció una cuadrilla de proscritos, cortejo bastante singular, si no peligroso, para un monarca. Vaciló un momento entre si debía dirigirse a Ricardo como un soberano o dirigirse a él todavía como el Caballero Negro; el rey observó su apuro.

—Wilfrido, Ricardo Plantagenet se ha dado a conocer. Está rodeado de corazones verdaderamente ingleses, aunque la cabeza un poco caliente de estas buenas personas los haya llevado a veces demasiado lejos.

—Pero, ¿qué significan esta carnicería y la sangre de que están cubiertas las armas del rey?

—Ha habido traición, Wilfrido —explicó el monarca—, y gracias a esta buena gente los traidores han encontrado la recompensa que merecían. Pero ahora

❖ ❖ ❖ ❖

que recuerdo —añadió sonriendo—, vos también sois traidor, porque me habéis desobedecido. ¿No os he ordenado categóricamente que descansarais en San Botolfo por lo menos hasta mañana, hasta que vuestras heridas estuviesen perfectamente curadas?

—Ya lo están —repuso Ivanhoe—, ahora no son más peligrosas que cuanto pueda serlo un pinchazo de alfiler. Pero, noble príncipe, ¿por qué exponer vuestra vida corriendo solo aventura, como si no fuese mucho más preciosa que la de un caballero errante, que sólo tiene la lanza y la espada para ganarse el sustento?

—Ricardo Plantagenet no aspira a otra fama que a la que pueden facilitar la lanza y la espada. Es más glorioso poner fin a una aventura sin más ayuda que su lanza y su brazo que mandar cien mil hombres en batalla.

—Pero vuestro reino, señor, vuestro reino amenazado de guerra civil, vuestra corona en peligro, vuestros súbditos teniendo que temer mil desgracias si vinieran a perder a su soberano en alguno de los peligros a los cuales os place exponeros todos los días...

—¡Oh, oh! ¡Mi reino y mis súbditos! —exclamó el rey, con impaciencia—. Os responderé, caballero Wilfrido, que los mejores entre ellos me pagan con la misma moneda. Por ejemplo, uno de mis más fieles servidores, Wilfrido de Ivanhoe, se permite contravenir mis órdenes y viene a darle un sermón a su rey porque no sigue exactamente sus consejos. ¿Quién de nosotros dos tiene derecho a hacerle reproches al otro? Escuchadme, sin embargo, querido Wilfrido: el tiempo que he pasado y que he de pasar todavía de incógnito es inevitable para dar a mis amigos, a los nobles que han seguido siéndome fieles, el tiempo necesario para reunir sus fuerzas a fin de que, cuando se anuncie públicamente el reciente regreso de Ricardo Corazón de León, se encuentre a la cabeza de un ejército suficiente para imponerse a los facciosos y ahogar la rebelión sin tener siquiera necesidad de desenvainar la espada.

Volviéndose luego a Robin Hood le dijo:

—¿No tendríais, rey de los proscritos, algunos alimentos que ofrecer a uno de vuestros hermanos en realeza? El ejercicio que esos bribones me han hecho hacer me ha abierto el apetito.

—Debo decir la verdad a vuestra majestad —respondió Robin Hood no sin cierta confusión—: nuestras provisiones sólo consisten en...

—¿En caza? —dijo el rey—. Tanto mejor; precisamente es lo que me conviene en este momento.

—Pues si vuestra majestad se digna honrar con su real presencia uno de los lugares de reunión de Robin Hood, la caza no faltará, a la cual podréis añadir buena cerveza y vino bastante pasadero.

Con la compañía que se encontraba en aquel momento Ricardo se mostró con todas las ventajas posibles, porque era amable, de buen humor y apasionado por la valentía, dondequiera que se mostrara. La comi-

❖ ❖ ❖ ❖

da campestre fue servida con prontitud bajo un gran roble, donde el rey de Inglaterra se sentó rodeado de hombres a quienes el gobierno de su reino había puesto fuera de la ley durante su ausencia, y que le servían entonces de guardias y de cortesanos. Rieron, cantaron y refirieron empresas muy riesgosas y atrevidas; y alabándose por los éxitos obtenidos con la violación de las leyes del país, nadie prestó atención al hecho de que se hablaba en presencia de quien estaba naturalmente encargado de hacerla respetar. El rey mismo, sin pensar en su dignidad más que el resto de la compañía, reía, bebía y bromeaba como los demás y se le habría tomado muy bien por uno de ellos.

El buen sentido natural de Robin Hood le hizo desear que aquella escena terminara antes que la alegría, la cerveza y el vino hubiesen calentado demasiado la cabeza de su gente. Veía además la frente de Ivanhoe cubierta por una nube de inquietud; le llamó aparte y le dijo:

—La presencia de nuestro valeroso soberano es un gran honor; pero no quisiera que perdiera un tiempo que las circunstancias pueden hacer precioso.

—Eso es hablar con sabiduría y franqueza, valiente Robin Hood. Debéis saber, además, que bromear con un rey, hasta en sus momentos de mayor informalidad, es lo mismo que jugar con un cachorro de león que a la menor provocación hace recordar que tiene dientes y garras.

❖ ❖ ❖ ❖

—Habéis puesto el dedo en el punto de mis temores. Mi gente es grosera por naturaleza y por costumbre; el rey es vivo e imperioso; pueden ofenderle sin intención, lo mismo que él puede irritarse sin motivo. Es hora de que termine esta comida.

—Buscad la manera de ponerle fin.

—¿Debo aventurarme hasta ese punto? —inquirió Robin Hood, reflexionando un instante—. ¡Sí, por san Cristóbal! Es preciso. No sería digno de sus bondades si no me atreviera a arriesgarme por hacerle un favor. Oye, Scathlock: toma el cuerno, escóndete en aquellos arbustos y toca un aire normando. No pierdas tiempo.

Scathlock obedeció a su capitán y al cabo de pocos minutos el sonido del cuerno hizo estremecer a los comensales.

—Es el cuerno de Malvoisin —dijo Meunier, levantándose precipitadamente y cogiendo su arco.

El eremita dejó caer la copa que sostenía en la mano y se armó de su bastón. Wamba se detuvo en medio de una danza para coger su cuchillo de caza y su escudo; en una palabra, nadie pensó en otra cosa que en tomar sus armas.

Los hombres que soportan una vida precaria pasan fácilmente de un festín a una batalla. Este cambio era para Ricardo un nuevo placer. Pidió su casco y las partes más pesadas de su armadura, que se había quitado.

Mientras tanto, Robin Hood había mandado a varios de sus hombres en diferentes direcciones para simular reconocer al enemigo, y cuando vio que se habían hecho desaparecer los restos del festín, se aproximó al rey, que ya estaba completamente armado, y doblando la rodilla ante él, le suplicó que le concediera su perdón.

—Ya lo tienes —le dijo el rey, con impaciencia—. ¿No te he dicho que todas tus infracciones quedaban olvidadas? ¿Crees que mi palabra es letra muerta? Supongo que no has tenido tiempo de cometer otra ofensa.

—He cometido la de engañar a mi rey por su propio bien —respondió Robin Hood—. El cuerno que acabáis de oír no es el de Malvoisin. Uno de mis hombres lo ha tocado por orden mía para poner fin al banquete, por miedo de que robara demasiado tiempo a las horas tan preciosas de vuestra majestad y para sus Estados.

La cólera hizo subir la sangre al rostro de Ricardo, pero sólo fue una reacción pasajera, sobre la cual triunfó en seguida su natural equidad.

—El rey de Sherwood —dijo— teme que el rey de Inglaterra haga una sangría considerable a su caza y a su vino. Muy bien, audaz Robin Hood. Cuando vayas a verme a Londres te demostraré que recibo a mis invitados más generosamente. Por lo demás, has hecho bien, valiente arquero. ¡Vamos, Wilfrido, a caballo! Ya estabais impaciente por ver llegar este momento. Vámonos alegremente a Coningsburgo.

Robin Hood dijo que ya había mandado un destacamento para inspeccionar el camino por el cual tenía que pasar.

❖ ❖ ❖ ❖

Estas precauciones por su seguridad, tomadas con tanta atención como prudencia, impresionaron vivamente a Ricardo y acabaron por disipar hasta la sombra del resentimiento que había hecho nacer en él la astucia empleada por Robin Hood para poner fin a la comida.

El rey partió con Ivanhoe; Gurth y Wamba los siguieron, y llegaron sin incidentes a la vista del castillo de Coningsburgo un poco antes de la puesta del sol.

Un gran estandarte negro, flotando en lo alto de la torre, anunciaba que no se habían celebrado todavía las honras fúnebres del difunto señor del castillo. Los alrededores ofrecían una nutrida concurrencia; porque en aquella época los funerales eran motivo de hospitalidad general y sin reserva. No solamente se recibía a los que podían haber tenido la menor relación con el difunto, sino que se invitaba al comité luctuoso también a los viajeros.

Capítulo 10

En la tercera planta del castillo se encontraba la gran rotonda a la que fueron introducidos el rey Ricardo y su fiel servidor y caballero Ivanhoe. Ocultaba este último el rostro con su capucha, empeñado en que su padre no tuviese ocasión de reconocerle hasta que el rey lo mandara. Sólo entonces descubriría su semblante.

Encontraron en aquel aposento, sentados alrededor de una gran mesa de roble, aproximadamente a una docena de representantes de las más distinguidas familias sajonas.

Aunque estaba colocado en la misma fila de sus compatriotas, Cedric parecía desempeñar por consentimiento unánime las funciones de jefe de aquella reunión. Viendo entrar a Ricardo, a quien sólo conocía bajo el nombre de Caballero Negro, se levantó con gravedad y saludó según el uso de los sajones, pronunciando las palabras *Wahes hael* (a vuestra salud) y levantando a la altura de su frente una copa llena de vino. El rey, que no era ajeno a las costumbres de sus súbditos ingleses, tomó una copa que se le ofreció y devolvió a Cedric el saludo diciéndole: *Drink hael* (yo bebo a la vuestra). El mismo ceremonial fue observado con respecto a Ivanhoe, quien sólo respondió con una

❖ ❖ ❖ ❖

inclinación de cabeza, por miedo a que su padre reconociera su voz.

Después de esta formalidad, Cedric le ofreció la mano a Ricardo y lo condujo a una tosca capilla donde dos grandes antorchas iluminaban un altar de piedra y un crucifijo de la misma materia.

Ante este altar había un ataúd, a cada lado del cual tres religiosos de rodillas, con el rosario en la mano, entonaban a media voz himnos y salmos con la mayor devoción. Eran monjes del convento de San Edmundo, situado en la vecindad, a quienes la madre del difunto había hecho un donativo más que generoso para que rezaran por el eterno descanso del alma de su hijo.

Ricardo e Ivanhoe se arrodillaron siguiendo el ejemplo de su guía, hicieron la señal de la cruz y rezaron una corta oración.

Después de este acto de piedad, Cedric les hizo una seña para que le siguieran y, subiendo algunos peldaños, abrió sin ruido y con mucha precaución la puerta de un oratorio que daba a la capilla. Era un pequeño aposento iluminado por dos ventanas que, recibiendo entonces los últimos rayos del sol, les hicieron distinguir a una mujer cuyo rostro, lleno de dignidad, ofrecía aún trazas de la hermosura majestuosa que la distinguía unos 30 años antes.

—Noble Edith —dijo Cedric después de unos instantes de silencio, como si hubiese querido dar a Ricardo e Ivanhoe el tiempo necesario para contemplar a la

❖ ❖ ❖ ❖

dueña del castillo— he aquí unos dignos forasteros que vienen a honrar con su presencia las exequias de vuestro desventurado hijo y a tomar parte en nuestros pesares. Éste —añadió señalando al rey— es el valiente caballero de quien ya os he hablado.

—Le ruego que acepte todo mi agradecimiento —repuso Edith—. Le agradezco también, lo mismo que a su compañero, la cortesía que los ha conducido hasta aquí para ver a la viuda de Atheling, a la madre de Athelstane, en este momento de luto y de profunda aflicción. Confiándolos a vuestros cuidados, mi digno pariente, estoy persuadida de que serán satisfechos todos los deberes de la hospitalidad.

Los dos caballeros saludaron a la afligida madre y se retiraron con su guía.

Ya en otra sala del castillo, tomando la mano Ricardo dijo: Deseo, noble Cedric, acudir a vuestra conocida gentileza para pediros un don.

—Está concedido de antemano, noble caballero —repuso Cedric—. Sin embargo, en un momento tan triste... ¿No podríais dejarlo para más placentera ocasión?

—Ya he pensado en ello; pero el tiempo apremia. Además, quizá no esté mal elegido el momento, porque al cerrar la tumba del noble Athelstane deberíamos enterrar también ciertos prejuicios y ciertas opiniones que...

—Señor caballero —dijo Cedric, interrumpiéndole— supongo que el don que tenéis que pedirme sólo os

❖ ❖ ❖ ❖

concierne a vos. Por lo que se refiere a mis opiniones, lo que vos llamáis mis prejuicios, me parece muy extraño que un desconocido se preocupe de ellos.

—Tampoco quiero hacerlo hasta que vos mismo convengáis en que tengo interés en ello. Hasta hoy sólo me habéis conocido bajo el nombre de Caballero Negro; sabed ahora que el que está delante de vos, es Ricardo Plantagenet.

—¡Ricardo de Anjou! —exclamó Cedric retrocediendo por la sorpresa que le produjo oír pronunciar tal nombre.

—No, noble Cedric, Ricardo de Inglaterra, cuyo mayor interés, cuyo deseo más ardiente consiste en ver a todos sus súbditos unidos sin distinción de raza. Hablemos ahora del don que he querido pediros, y que no os solicitaré con menos confianza aunque os neguéis a reconocer la legitimidad de mi soberanía. Os requiero como hombre de palabra, y bajo pena de teneros por impío si os negáis, para que devolváis vuestro afecto paterno al valiente caballero Wilfrido de Ivanhoe, vuestro hijo. Convendréis en que tengo un interés directo en esta reconciliación; la felicidad de mi amigo y el deseo de apagar todo motivo de división entre mis súbditos.

—¿Es él quien os acompaña? —preguntó Cedric, profundamente emocionado.

—¡Padre mío! ¡Padre mío! —exclamó Ivanhoe, descubriéndose el rostro y arrojándose a sus pies—. Concededme vuestro perdón.

❖ ❖ ❖ ❖

—Te lo concedo, hijo —repuso Cedric, levantándolo—. El hijo de Hereward es esclavo de su palabra a pesar de haberla dado a un normando. Pero regresa a las costumbres de tus antepasados: no más vestidos cortos, ni altas plumas, ni zapatos puntiagudos en mi casa. El que quiere ser hijo de Cedric el Sajón debe mostrarse digno de los sajones, sus antepasados... Quieres hablar; ya sé lo que vas a decirme. Lady Rowena ha de llevar luto durante dos años por el que estaba destinado a ser su esposo. Todos nuestros abuelos sajones nos desaprobarían si antes de este plazo pensara ella en dar sucesor al que por su nacimiento era el único digno de su mano. La sombra de Athelstane saldría de su tumba para impedirnos que deshonrásemos su memoria.

Estas últimas palabras parecieron haber conjurado a un espectro. No había hecho Cedric más que pronunciarlas cuando se abrió la puerta del aposento y vieron entrar a Athelstane, cubierto con un sudario, pálido, hosca la mirada y pareciendo efectivamente una sombra salida de la tumba.

Esta aparición inesperada produjo estupor en los tres espectadores. Cedric retrocedió aterrorizado hasta la pared y allí se recargó inmóvil, con los ojos muy abiertos. Ivanhoe hizo la señal de la cruz, repitiendo una oración, mientras Ricardo pronunciaba en latín: *Benedicte*, y juraba en francés: "¡Muerte de mi vida!"

❖ ❖ ❖ ❖

Mientras tanto se oyó un alboroto espantoso en el castillo y los gritos llegaron hasta el aposento donde acababa de entrar el espectro.

—¡Coged a esos bribones de monjes! ¡Metedlos en un calabozo! ¡Arrojadlos desde lo más alto de las murallas!

—En el nombre de Dios vivo —dijo Cedric dirigiéndose al que le parecía la sombra de su difunto amigo—: si eres un hombre, habla; y si eres un espíritu, habla también; dime por qué has abandonado la residencia de los muertos, y si puedo hacer algo por el reposo de tu alma... Muerto o vivo, Athelstane, háblale a Cedric.

—Ésa es mi intención —repuso el espectro con mucha sangre fría—; pero estoy sin aliento y no me dais tiempo de respirar... ¿Si estoy vivo? No hay duda de que lo estoy, es decir: todo lo vivo que se puede estar después de haber vivido a pan y agua durante tres días que me han parecido tres siglos...

—¿Cómo, Athelstane? —preguntó Ricardo—. Yo mismo os vi derribado por el templario en el patio de Torquilstone, y Wamba, que no estaba lejos de vos, nos dijo que teníais la cabeza partida hasta los dientes.

—Pues bien, señor caballero: vos habéis visto mal y Wamba ha mentido. Gracias a Dios, mis dientes están en buen estado y os lo demostraré en seguida cenando... Además, el templario no tuvo la culpa: el golpe fue dado con las peores intenciones; pero el arma se le volvió en la mano de manera que sólo recibí un

❖ ❖ ❖ ❖

golpe de plano con la hoja. Si hubiese llevado puesto el casco, no le habría prestado más atención que a un coscorrón, y le habría contestado de manera que le hubiese quitado el apetito; pero como llevaba la cabeza cubierta con un gorro de seda, caí aturdido y sin conocimiento, aunque no había recibido ninguna herida. Cuando recobré el sentido me encontré metido en un féretro... en un féretro descubierto por suerte mía, ante el altar de la iglesia de San Edmundo. Estornudé muchas veces, grité e iba a levantarme cuando el abate y el sacristán, asustados por el alboroto que armaba, acudieron sorprendidos y poco satisfechos sin duda de ver vivo al hombre de quien esperaban heredar. Les pedí vino y me lo dieron después de haberme hecho esperar mucho, según me pareció; pero le habían mezclado seguramente alguna maldita droga, porque en cuanto lo bebí quedé dormido y al despertar me sentí los pies y las muñecas tan bien atados, que los miembros me duelen todavía nada más al pensarlo. Estaba en una oscuridad profunda, en un calabozo húmedo: probablemente las mazmorras de aquel maldito convento. Intentaba averiguar cuál podía ser la causa de lo que estaba sucediendo cuando la puerta del torreón chirrió sobre sus goznes y entraron dos monjes. Querían hacerme creer que estaba en el purgatorio..., ¡cuando aquello era un infierno!... Pero yo había reconocido la voz del grueso abate. ¡San Jeremías! Me hablaba en tono muy diferente

❖ ❖ ❖ ❖

cuando me rogaba en mi mesa que le sirviera otra tajada de filete de corzo...

—Calma, noble Athelstane —aconsejó Ricardo—; tomad aliento; contadnos vuestra historia con calma. ¡Por mi honor, que es tan extraordinaria como una novela!

—Sí; pero que es verdadera. Un pan de cebada y un jarro de agua; eso fue todo lo que dejaron los traidores a su bienhechor, que eso es lo que había sido para ellos. ¡Pero los ahumaré en su cubil, aunque me excomulguen!

—En el nombre de la Santa Virgen, noble Athelstane —dijo Cedric, estrechando la mano de su amigo—, ¿cómo habéis podido escapar a ese peligro inminente? ¿Ha llamado la compasión a sus corazones?

—¡Sus corazones! —repitió Athelstane—. ¿Se dejan fundir las rocas por el sol? Allí estaría aún de no haber sido por un movimiento extraordinario que ha tenido lugar esta mañana en el convento, porque, como acabo de saber, los monjes querían venir aquí a devorar el festín de mis funerales, mientras sabían muy bien dónde me habían enterrado vivo. Oí sus campanas y sus salmos, sin sospechar que eran para rogar por el alma del que estaban haciendo morir de hambre. Se marcharon y yo permanecí mucho rato sin que me llevaran mi triste pitanza. Nada menos sorprendente: el sacristán gotoso pensaba en sus cosas en vez de ocuparse en las mías. Llegó por fin con paso vacilante y cuando entró sentí un olor a vino y a especias que me alegró el corazón. La buena comida le había enternecido, porque en vez de mi pan de cebada me dejó un buen pedazo de pastel, y un frasco de vino reemplazó el cántaro de agua. Bebí, comí, recobré fuerzas y valor, y un débil resplandor que procedía de la puerta me hizo comprender que estaba entreabierta. La claridad y el vino inspiraron mi astucia.

—Antes de proseguir esa historia lamentable, noble Athelstane —dijo Ricardo—, ¿no harías bien tomando algunos alimentos?

—Buenas o malas, hoy ya he devorado cinco comidas. Sin embargo, un trozo de ese jamón, que parece suculento, no me sentaría mal, si lo consentís... He de compensar como sea estos tres días de forzoso ayuno. Para terminar, creo que no habría logrado entrar en mi propio castillo si no me hubieran tomado por el compañero de un juglar que intentaba distraer a la gente congregada para llorar en mis funerales. Por fin conseguí introducirme aquí casi furtivamente, y antes de buscaros, mi noble amigo —dijo a Cedric—, sólo he tenido tiempo de abrazar a mi madre y de tomar un bocado.

—Y me habéis encontrado —repuso Cedric—, dispuesto a retomar nuestros gloriosos proyectos; dispuesto a intentarlo todo por el honor y la libertad. Desde mañana hemos de trabajar para sacar de la esclavitud a la raza sajona.

❖ ❖ ❖ ❖

—No me habléis de liberar a nadie; ya fue bastante para mí que me haya liberado a mí mismo. Mi glorioso proyecto consiste en castigar a ese pícaro abate. Lo haré colgar de lo alto de la torre de Coningsburgo, con su capa y estola.

—Vaya, noble Athelstane —dijo Cedric—; olvidad al abate y a todos sus monjes cuando una carrera de gloria tan brillante se abre ante vos; aprovechad la ocasión que ha reunido aquí a los principales jefes sajones. Decidle a este príncipe normando, a Ricardo de Anjou, que a pesar de todo lo Corazón de León que es, no conservará la corona de Alfredo sin que se la dispute un descendiente varón del santo rey confesor.

—¡Cómo! —exclamó Athelstane—. ¿Este caballero es el rey Ricardo?

—Ricardo Plantagenet —afirmó Cedric—; pero necesito deciros que ha venido aquí libremente con la confianza que da la hospitalidad sajona, y que por consiguiente no debemos inferir injuria ni retenerle prisionero. Ya sabéis lo que debéis a vuestro huésped.

—Sí —repuso Athelstane—; y sé también lo que debo a mi rey. Y heme aquí —añadió, hincando la rodilla ante Ricardo —dispuesto a rendirle pleitesía y homenaje.

—¡Hijo mío! —exclamó Edith—. ¡Piensa en la sangre real que corre por tus venas!

—¡Príncipe degenerado! —gritó indignado Cedric—. ¡Piensa en la libertad de Inglaterra!

❖ ❖ ❖ ❖

—Madre mía y amigo mío —repuso Athelstane, levantándose—: basta de exhortaciones. El pan y el agua en un calabozo alimentan mal la ambición. Salgo de la tumba más prudente de cuanto lo era cuando descendí a ella. Se me ha hecho correr durante largos días de castillo en castillo, por vías y campos; con esto sólo he ganado cansancio, golpes, indigestiones, encarcelamientos y tres días de abstinencia. ¿Y todo esto por qué? Por proyectos que tienden nada menos que a hacer morir a algunos millares de hombres que comen en este momento su cena muy tranquilamente. Renuncio para siempre. Sólo quiero ser rey en mis dominios, y mi primer acto de soberanía será hacer ahorcar a ese malvado abate.

—¿Y mi pupila lady Rowena? Supongo que no tendréis intención de abandonarla.

—Obremos de buena fe, mi buen padre Cedric, y sed razonable. Lady Rowena prefiere el dedo meñique del guante de vuestro hijo Ivanhoe que toda mi persona. Ahí está para confirmar lo que digo. No os ruboricéis, mi hermosa parienta; no hay vergüenza en preferir a un caballero cortesano sobre un *franklin* campesino. Pero no riáis tampoco, lady Rowena; un sudario y un rostro enflaquecido por el ayuno no deben provocar la hilaridad. Por lo demás, si queréis reír, voy a daros mejor motivo. Dadme vuestra mano, o, por mejor decir, prestádmela, porque os la pido solamente a título de amistad. Bien. Ahora, Wilfrido, aproximaos:

renuncio en vuestro favor. ¿Cómo es esto? ¿Dónde está Wilfrido? A menos que no haya padecido de alucinación por culpa de mi prolongado ayuno, juraría que estaba aquí hace un instante.

Se le buscó, se le llamó por todas partes, pero inútilmente; había desaparecido. Se supo, sin embargo, que un judío había pedido hablar con él y que, después de una brevísima conferencia, Ivanhoe había montado a caballo, seguido de Gurth, y abandonado el castillo.

—Bella lady Rowena —dijo Athelstane—, si pudiera creer que la repentina partida de Ivanhoe no ha sido ocasionada por motivos muy imperiosos, volvería a tomar mis derechos...

Pero como el joven había soltado su mano al advertir la desaparición de Ivanhoe, lady Rowena, que encontraba su situación extremadamente embarazosa, aprovechó la ocasión para salir del aposento.

—Ciertamente —dijo Athelstane— se dice con razón que, de todos los animales, la mujer es el ser de quien menos se puede uno fiar; yo exceptúo, sin embargo, a los abates y a los frailes. Quiero ser pagano si no esperar a que me diera las gracias e incluso que me abrazara. Seguramente este maldito sudario está embrujado, porque todo mundo huye de mí. Noble rey Ricardo, a vos, pues, me dirijo de nuevo, rindiéndoos homenaje y pleitesía...

Pero el rey Ricardo también había desaparecido y nadie sabía adónde había ido. Por fin se supo que

❖ ❖ ❖ ❖

Wamba, quien bajó al patio, había llamado al judío que habló con Ivanhoe y que, después de dos minutos de conversación, tomó su caballo, obligó al judío a montar en otro y ambos partieron, según diría Wamba, con tal prisa que sus caballos parecieron volar más que tocar la tierra con sus cascos. Pronto desaparecieron en la lejanía y nadie, según afirmó el mismo Wamba, se hubiese atrevido a dar un sueldo por el triste y menguado pellejo del infortunado hebreo.

No cabía la menor duda de que tal como lo contaría Wamba, había ocurrido.

Capítulo 11

Cerca del castillo, en la explanada de San Jorge, en Templestowe, era el punto donde debía celebrarse el combate judicial con el que iba a decidirse la suerte de la hermosa y afligida Rebeca, quien había sido acusada de hechicería. La multitud se apretujaba en las cercanías de la puerta del edificio de justicia, curiosa e impaciente por ver aparecer el cortejo, y otro gentío no menos numeroso se encontraba cerca de la liza de San Jorge. Todo mundo aguardaba el comienzo del combate. Era un recinto adyacente, con forma de paralelogramo, que se había nivelado con cuidado y servía para los ejercicios militares de los templarios. Este terreno estaba rodeado de empalizadas y los caballeros habían hecho construir alrededor del recinto vastas galerías.

En la extremidad Este de la construcción, se había colocado un trono para el gran maestre y sitiales para los comendadores y caballeros. En el extremo opuesto se elevaba la pira, rematada por un poste del cual pendían cadenas de hierro destinadas a sujetar a la víctima que se iba a ajusticiar. De pie junto a este aparato de muerte estaban cuatro esclavos negros, inmóviles, cuyo color y rasgos africanos poco vistos entonces en Inglaterra asustaban al populacho, que no podía

❖ ❖ ❖ ❖

dejar de creer que aquellos hombres extraordinarios eran espíritus infernales con los cuales había tenido trato la hechicera que iban a ver quemar. El poder del diablo era por lo demás el tema de todas las conversaciones.

Por fin se bajó el puente levadizo, se abrieron las puertas del castillo y salió un caballero portando el gran estandarte de la Orden del templo; iba precedido por seis trompetas y seguido por los comendadores y los caballeros, quienes avanzaban en parejas. Venía luego el gran maestre, montado en un soberbio corcel. Detrás de él iba Brian de Bois-Guilbert, armado de pies a cabeza y seguido por sus dos escuderos portando su espada, lanza y escudo. Una palidez mortal cubría el semblante del caballero; sin embargo, conducía su montura con la soltura y la gracia que se podía esperar de la mejor lanza de la Orden del Temple. Su aspecto era orgulloso e imponente; pero si se le miraba con atención, invariablemente apartaba la vista de su semblante feroz debido a un sentimiento similar a la aversión.

A sus lados y sin armas iban Conrado de Montfichet y Alberto de Malvoisin, quienes fungían como padrinos del campeón. Detrás de ellos marchaban los simples caballeros, seguidos de un numeroso cortejo de escuderos y pajes vestidos de negro, aspirantes al honor de ingresar un día en la Orden. Detrás de éstos, una tropa de guardias a pie vistiendo ropa del mismo color

❖ ❖ ❖ ❖

dejaban distinguir entre sus lanzas enhiestos a la desventurada Rebeca, pálida pero llena de dignidad, tímida mas no abatida, caminando con paso lento pero firme hacia el lugar donde ya se habían hecho los preparativos para su suplicio. La habían despojado de todos sus ornamentos por temor a que hubiera entre ellos alguno de los amuletos que se suponía daba Satanás a sus víctimas para privarlas de poder hacer confesiones aun en los dolores de la tortura. Las vestiduras orientales de Rebeca habían sido sustituidas por una sencilla túnica blanca de tosca tela, pero se veía en su semblante una mezcla insoportable de valor y resignación que, hasta con sólo este ropaje y sin más adorno que sus largos cabellos negros, arrancaba lágrimas de muchos de los espectadores, y los corazones más endurecidos por el fanatismo y la superstición no dejaron de lamentar amargamente que Satanás hubiese convertido a una criatura en apariencia tan perfecta en recipiente de perdición.

La infortunada joven fue conducida hasta una silla pintada de negro que estaba colocada a un lado de la pira. A la primera ojeada que dirigió hacia los espantosos preparativos de una muerte tan horrible para el alma como dolorosa para el cuerpo, no pudo evitar estremecerse y cerrar los ojos, rezando sin duda en voz baja, porque movía los labios aunque no salía ningún sonido de su boca. Al cabo de un minuto abrió los ojos, los fijó en la pira como para familiarizarse con

❖ ❖ ❖ ❖

el destino que la aguardaba y acabó por volver la cabeza.

Mientras tanto el gran maestre de la ceremonia fatal se había sentado en su sillón, y cuando todos los caballeros se colocaron a sus lados o detrás de él, según su rango, el sonido de las trompetas anunció abierto el juicio. Entonces Malvoisin, en su calidad de padrino del campeón, se dirigió al gran maestre y depositó a sus pies la prenda de combate, o sea el guante de la judía, y presentó a Brian de Bois-Guilbert como aquel que estaba dispuesto a cumplir con su deber sosteniendo contra todos, lanza en ristre, que la doncella judía llamada Rebeca había sido justamente condenada como hechicera. Luego, el gran maestre ordenó a un heraldo de armas que cumpliera con su obligación.

Sonaron las trompetas de nuevo y el heraldo, saliendo al centro de la liza, gritó en voz alta:

—¡Oíd! ¡Oíd! ¡Oíd! He aquí al caballero Brian de Bois-Guilbert dispuesto a combatir contra cualquier caballero de sangre noble que quiera defender la causa de la judía Rebeca y desmentir las acusaciones que contra ella se hacen. El valeroso y reverendo gran maestre aquí presente concederá a los contendientes igualdad tanto en las condiciones de la liza como respecto a las armas.

Volvieron a sonar las trompetas y reinó profundo silencio por espacio de algunos minutos.

❖ ❖ ❖ ❖

—Ningún campeón se presenta a favor de la apelante —dijo el maestre Beaumanoir—, id a preguntarle a ella si espera a alguien para tomar su defensa.

El heraldo se acercó a la silla donde estaba sentada Rebeca y Bois-Guilbert, sin cuidarse del enojo de Malvoisin y Montfichet, puso su caballo a galope y llegó junto a la joven judía al mismo tiempo que el heraldo de armas.

—¿Es aceptado esto? —preguntó Malvoisin al gran maestre.

—Sí —respondió Beaumanoir—. En una apelación al juicio de Dios no se debe impedir a las partes que tengan entre ellas comunicaciones que pueden tender a la manifestación de la verdad.

Mientras tanto, el heraldo se dirigió a Rebeca en estos términos:

—Judía: el honorable y reverendo gran maestre pregunta si estás dispuesta a ofrecer un campeón para sostener tu causa, o si te reconoces justa y legalmente condenada a muerte.

—Decidle al gran maestre —repuso Rebeca— que declaro que soy inocente, injustamente condenada y que no quiero hacerme yo misma culpable de mi muerte. Pídole, pues, el plazo que sus leyes permitan concederme para ver si Dios, para quien el tiempo no es nada, me envía un libertador; después de lo cual se cumpla la voluntad de Dios.

El heraldo llevó en seguida la respuesta al gran maestre.

❖ ❖ ❖ ❖

—No quiera Dios que nadie, sea judío o pagano, tenga que acusarme de injusticia —dijo Beaumanoir—. Hasta que la sombra pase de Oeste a Este, esperaremos que se presente un campeón determinado a combatir por esa mujer. Cumplido ese plazo, que se disponga a morir.

El heraldo regresó a llevar la respuesta del gran maestre a Rebeca y ella inclinó la cabeza con sumisión y elevó la mirada al cielo, con los brazos cruzados sobre el pecho, como para implorar el auxilio que ya no creía poder esperar de los hombres.

En ese mismo instante la voz de Bois-Guilbert hirió su oído, y aquella voz, aunque era muy tenue, produjo en ella mayor impresión que todo lo que el heraldo acababa de decirle.

—¿Me oyes, Rebeca? —decía el templario.

—No tengo oídos para ti, hombre cruel, corazón de granito.

—Me oyes, sin embargo, y el sonido de mi voz me asusta a mí mismo. Apenas me doy cuenta de dónde estamos y por qué nos encontramos aquí. Este campo cerrado, este asiento fúnebre, esta pira fatal. Sí, ya sé lo que todo esto significa; pero me parece que es un sueño, una visión espantosa que engaña mis sentidos.

—Mi espíritu y mis sentidos —dijo Rebeca— dicen que esta pira está destinada a consumir mis despojos mortales y de tal manera conducir mi alma por un camino penoso, pero corto, a la eternidad gloriosa.

❖ ❖ ❖ ❖

—Sueños frívolos, Rebeca, vanas esperanzas que vuestros saduceos más sabios rechazan. Escúchame —añadió con tono más animado—: tu vida está aún en tus manos a despecho de esos miserables fanáticos. Monta a la grupa de *Zamor,* que nunca me ha fallado ante una necesidad, el que conquisté en combate singular contra el sultán de Trebisonda; ningún caballo puede seguir a *Zamor* en la carrera; monta a la grupa, te repito, y en pocos instantes estaremos a resguardo de toda persecución. Iremos hacia un nuevo mundo, de placeres para ti y para mí de gloria.

—¡Retírate, tentador! Diez veces montaría sobre la pira antes que dar un paso para seguirte. Rodeada de enemigos por todas partes, te miro como el más cruel y el más encarnizado de todos. ¡Retírate, en nombre de Dios vivo!

Alberto de Malvoisin, impaciente y alarmado por la duración de aquella conferencia, acudió con intención premeditada de interrumpirla.

—¿Ha confesado su delito o está resuelta a seguir negando?— preguntó a Bois-Guilbert.

—Está resuelta —repuso éste sonriendo amargamente.

—Entonces, mi noble hermano, volved a vuestro sitio a esperar el acontecimiento. El sol empieza a correr hacia poniente. Venid valiente Bois-Guilbert, esperanza de nuestra Orden y pronto su jefe.

Duraba la asamblea ya dos horas y ningún campeón se presentaba todavía. La opinión general era que

❖ ❖ ❖ ❖

nadie quería salir en defensa de una judía condenada por hechicera. Pero de repente se vio en la llanura a un caballero corriendo a brida suelta con dirección al campo cerrado. Resonaron en el aire los gritos de: "¡Un campeón! ¡Un campeón!" Y, a pesar de los prejuicios y de las prevenciones de la multitud, fue acogido con aclamaciones unánimes cuando entró en la liza. Pero viéndolo más detenidamente, se esfumó la esperanza que su llegada había hecho nacer: su corcel, cubierto de sudor, parecía exhausto, y el caballero, aunque se presentaba con aire de confianza y de intrepidez, parecía que apenas tenía fuerzas para mantenerse en la silla.

Un heraldo de armas acudió a su lado para preguntarle su nombre, su rango y el motivo que allí le conducía.

—Soy noble y caballero —respondió con orgullo—, y vengo para sostener con la lanza y con la espada la causa de Rebeca, hija de Isaac de York; para declarar injusta e ilegal la sentencia dictada contra ella, y para desafiar a sir Brian de Bois-Guilbert a combatir, por traidor, asesino y embustero, como lo probaré con la ayuda de Dios, de Nuestra Señora y de san Jorge, el valiente caballero.

—Ante todo —dijo Malvoisin con mal humor evidente—, que pruebe ese forastero que es caballero y de noble linaje.

—No combatiré contra ti —exclamó Bois-Guilbert con voz alterada—; ve a curar tus heridas, provéete de un mejor caballo, y quizás entonces me digne acceder a castigar tus bravatas.

—¿Has olvidado acaso, orgulloso templario, que ya has sido derribado dos veces por esta lanza? —repuso Ivanhoe—. Acuérdate de la fiesta de armas de Ashby. Recuerda que, de haber querido, en esa ocasión os hubiera podido matar. Por este relicario que traigo templario, y por la santa religión que representa, te juro que si no accedes a combatir al instante conmigo, te proclamaré cobarde en todas las cortes de Europa y en todas las encomiendas de tu Orden.

Bois-Guilbert se volvió primero hacia Rebeca con aspecto irresoluto, y luego exclamó, dirigiendo a Ivanhoe una mirada feroz:

—¡Sí, combatiré contra ti, perro sajón! ¡Empuña tu lanza y disponte a morir!

—Pido el combate al instante—respondió Ivanhoe—. Es el juicio de Dios y pongo en Él toda mi confianza. Rebeca —añadió acercándose a ella—, ¿me aceptáis por campeón?

—Sí —exclamó la joven con una emoción que el temor de la muerte no habría podido producirle—; sí, te acepto como el campeón que el Cielo me ha enviado... Pero no, no; tus heridas no pueden estar curadas todavía; no combatas contra ese hombre sanguinario... ¿Por qué tienes que morir tú también?

Ivanhoe no la oía; ya estaba en su puesto en la liza; ya había tomado la lanza de manos de Gurth y había

❖ ❖ ❖ ❖

cerrado la visera de su casco. Bois-Guilbert hizo otro tanto, y en el momento en que también bajaba la visera, su escudero observó que su semblante, que toda la mañana había estado cubierto de mortal palidez, cubríase entonces de la púrpura más oscura, como si toda la sangre de su cuerpo hubiese afluido allí.

Viendo a los dos campeones en su sitio, el heraldo levantó la voz y repitió tres veces:

—¡Cumplid vuestro deber, esforzados caballeros!

El gran maestre, que tenía el guante de Rebeca, prenda del combate, lo arrojó entonces a la arena y dio la señal:

Sonaron las trompetas y los caballeros arremetieron uno contra otro.

El caballo fatigado de Ivanhoe y su amo, que aún estaba lejos de haber recobrado las fuerzas, no pudieron resistir el choque de la temible lanza del templario, y rodaron juntos por el polvo. Todos esperaban este acontecimiento; pero lo que sorprendió a todo mundo fue ver a Bois-Guilbert, cuyo escudo pareció haber sido tocado muy ligeramente por la lanza de su adversario, vacilar, perder los estribos en los que estaba apoyado, y caer al suelo.

Separándose de su caballo, Ivanhoe se levantó instantáneamente y empuñó la espada; pero su antagonista permaneció inmóvil. Colocándole en seguida un pie sobre el pecho y apoyando en la garganta la punta de su acero, le gritó que se reconociera vencido si no

❖ ❖ ❖ ❖

quería recibir el golpe de muerte. Bois-Guilbert no respondió:

—Perdonadle, gran caballero —exclamó el gran maestre—; concededle tiempo para arrepentirse; no hagáis perecer a la vez su alma y su cuerpo; nosotros lo declaramos vencido.

Penetró en el campo cerrado y dio orden de que despojaran al templario del casco. Éste tenía los ojos cerrados y el semblante apagado; una palidez mortal se extendió súbitamente por sus facciones; no le había dado la muerte la lanza de su enemigo: parecía víctima de la violencia de sus pasiones.

—¡Es verdaderamente el juicio de Dios! —dijo el gran maestre, levantando la mirada al cielo—. *Fiat voluntas tua.*

La multitud allí reunida, después de las palabras del gran maestre, sintió de súbito como si un soplo extraño y frío transitara veloz, estremeciendo a todo mundo. El silencio que siguió fue impresionante. Todos estuvieron de acuerdo con las solemnes palabras pronunciadas por el gran maestre: ¡Había sido realmente el juicio de Dios!

Capítulo 12

Cuando la estupefacción general se hubo disipado, Ivanhoe, en medio del profundo silencio, se acercó al gran maestre, juez del gran campo donde la justa se había celebrado, y le preguntó si su conducta con un oponente había sido la propia de un caballero leal y cortés. Y en silencio aguardó la respuesta del gran maestre, quien declaró:

—No tengo nada que reprocharos —respondió el gran maestre—, y declaro a la doncella inocente y libre. Las armas y el cuerpo del caballero vencido están a vuestra disposición.

—No quiero sus despojos —repuso Wilfrido—; no quiero tampoco deshonrar su cuerpo. Ha combatido por la cristiandad en Palestina. Ha sido la mano de Dios y no el brazo del hombre quien hoy le ha herido. Que se le hagan funerales sin pompa, como merece un caballero que encuentra la muerte por una querella injusta... En cuanto a esta doncella...

Fue interrumpido por el ruido de una numerosa tropa de jinetes que entraba en aquel momento en la liza. Volvióse y reconoció al frente al rey Ricardo, cubierto aún con su armadura negra, seguido de un numeroso destacamento de guerreros y de muchos caballeros portando diversas armas.

❖ ❖ ❖ ❖

—Llego demasiado tarde —dijo, mirando a su alrededor—. Me correspondía a mí castigar a Bois-Guilbert; me lo había reservado... ¿En qué habéis pensado, Wilfrido, emprendiendo semejante aventura, cuando apenas estáis en condiciones de sostener el peso de vuestras armas?

—El cielo se ha encargado del castigo de ese hombre soberbio. No merecía, señor, el tránsito glorioso que vos le destinabais.

—¡Que la paz sea con él, si ello es posible! —dijo Ricardo, dirigiendo una mirada al cuerpo tendido en la arena—. Era un valeroso caballero y ha muerto como un valiente, cubierto con sus armas... Pero no tenemos tiempo que perder; Boyun, cumplid con vuestro deber.

Uno de los caballeros del séquito del rey salió de las filas y adelantándose hasta el comendador Malvoisin le dijo, dándole un golpe en la espalda:

—Alberto de Malvoisin, os detengo por ser culpable de alta traición.

El gran maestre había permanecido hasta entonces mudo de asombro al ver aquella numerosa tropa; pero entonces recobró la palabra.

—¿Quién es el audaz —exclamó— que se atreve a detener a un caballero del Templo de Sión en el recinto de su propia encomienda y en presencia del gran maestre? ¿Quién puede permitirse tal ultraje?

—Yo —respondió el caballero—. Enrique Boyun, conde de Essex, condestable de Inglaterra.

❖ ❖ ❖ ❖

—Y detiene a Malvoisin —dijo el rey, levantando la visera de su casco— por orden de Ricardo Plantagenet, aquí presente... Conrado de Montfichet, es una suerte para ti no haber nacido súbdito mío... En cuanto a ti, Malvoisin, prepárate a morir con tu hermano Felipe antes de que transcurran ocho días.

Las trompetas tocaron una marcha oriental, que anunciaba siempre a los templarios la orden de avanzar, y los caballeros, rompiendo el frente que ofrecían para formarse en columna de marcha, partieron al paso corto detrás del gran maestre, como para demostrar que se retiraban por obediencia a sus órdenes y no por ningún sentimiento de temor.

—¡Por Nuestra Señora! —exclamó Ricardo—. Lástima que esos templarios no sean tan fieles como valerosos y disciplinados combatientes.

Durante el tumulto que acompañó su retirada, Rebeca no vio ni oyó nada. Estaba en brazos de su anciano padre, desfallecida, intimidada, pudiendo persuadirse apenas de que no tenía nada que temer. Las palabras de Isaac la trajeron a la realidad.

—Vamos, hija mía —le dijo—; tesoro que acaba de serme devuelto, vamos a arrojarnos a las plantas de ese valiente mancebo.

—No —repuso Rebeca—. ¡Oh, no! No me atrevería a hablarle en este momento. ¡Ay de mí! Le diría algo más que... No, no, padre mío; abandonemos al instante este lugar funesto.

❖ ❖ ❖ ❖

—¿Cómo, hija mía? —insistió Isaac—. Abandonar así a quien ha venido con la lanza y la espada en la mano, con riesgo de su vida, para rescataros del suplicio, a vos, la hija de un pueblo extranjero para él y para los suyos... Es un favor que exige todo nuestro agradecimiento.

—Que el Dios de Jacob me castigue —repuso Rebeca— si no posee el mío por entero. Recibirá la manifestación de mi agradecimiento, agradecimiento que brota del corazón; pero no ahora, padre mío; si queréis a Rebeca, no ahora.

—Pero— insistió Isaac —se dirá que somos menos agradecidos que los perros.

—Pero, ¿no veis, padre mío, que está ocupado con el rey Ricardo y que...?

—Eso es verdad, tenéis razón, hija mía. Vos siempre sois prudente. Partamos en seguida. El rey llega de Palestina; se dice que recién salió de la prisión, debe de tener necesidad de dinero y el pretexto para pedírmelo lo encontraría en las relaciones de comercio que he mantenido con el príncipe Juan. No sería prudente que me presentara a su vista. ¡Vámonos, hija mía!

—¡Viva Ricardo Corazón de León! ¡Mueran los templarios usurpadores! —resonaban, entre tanto, vibrantes las aclamaciones.

—A pesar de toda esta ostentación de lealtad —dijo Ivanhoe al conde de Essex—, el rey ha tomado una precaución muy prudente haciéndose acompañar por una escolta tan numerosa.

❖ ❖ ❖ ❖

Poco tiempo después del combate judicial, Cedric el Sajón fue llamado a la corte de Ricardo, que entonces la estableció en York, a fin de restablecer en los condados vecinos el orden y la paz que la ambición de su hermano habían turbado. Ante esta invitación el altivo sajón protestó primero; sin embargo, se determinó a aceptarla. En realidad, el regreso de Ricardo había desvanecido todos sus proyectos de recuperar el trono de Inglaterra para la dinastía sajona.

El casamiento de Wilfrido con lady Rowena se celebró poco después con gran pompa, en la catedral de York, contando con la asistencia del rey.

Gurth, elegantemente vestido, asistió en calidad de escudero de su joven señor, a quien tan fielmente había servido, y el no menos fiel Wamba también pasó al servicio de Ivanhoe, con el consentimiento de Cedric, que le regaló en aquella ocasión un magnífico gorro de bufón adornado con cascabeles de plata.

A los dos días del fastuoso casamiento, lady Rowena fue informada por su doncella Elgitha de que una joven deseaba hablarle sin testigos. Lady Rowena, sorprendida, vaciló de momento; pero venció la curiosidad y ordenó a sus damas que se retiraran y dijo a Elgitha que hiciera pasar a la desconocida.

Era una mujer de talla noble e imponente, envuelta en un largo velo blanco. Se presentó con aspecto respetuoso, pero sin la menor apariencia de temor. Lady Rowena se levantó e invitó a la dama a sentarse; pero ésta, dirigiendo una mirada a Elgitha, demostró nuevamente el deseo de que no hubiera testigos de su conversación. Tan pronto se retiró la doncella, no sin pesar de ésta, con gran sorpresa de lady Rowena la bella desconocida dobló la rodilla ante ella, inclinó la frente al suelo y, no obstante su resistencia, besó la parte inferior de su túnica.

—¿Qué quiere decir esto? —preguntó la hermosa sajona—. ¿Por qué me dais tan extraordinaria muestra de respeto?

—Porque a vos sola, digna esposa de Ivanhoe —respondió Rebeca, levantándose—, puedo pagar el tributo de agradecimiento que debo a Wilfrido de Ivanhoe sin tener que reprocharme nada. Yo soy... perdonad el atrevimiento con que me he presentado ante vos... soy la desventurada judía por quien vuestro esposo expuso sus días en el campo cerrado de Templestowe.

—Joven —dijo lady Rowena—, Wilfrido, en aquel día memorable, no hizo más que saldar la deuda de gratitud que debía a vuestro padre. Hablad. ¿Hay algo en que él o yo podamos seros útiles?

—No —respondió Rebeca, con calma—, si no es transmitirle mi despedida y la expresión de mi agradecimiento.

—¿Os marcháis de Inglaterra? —preguntó lady Rowena, apenas repuesta de su sorpresa.

—Sí, noble dama; antes de que la luna cambie. Mi padre tiene un hermano protegido por Boabdil, rey

❖ ❖ ❖ ❖

de Granada; vamos a reunirnos con él y estamos seguros de encontrar allí la paz y la tranquilidad, bajo el tributo que los musulmanes exigen de los hebreos.

—¿No encontraríais la misma protección y la misma seguridad en Inglaterra? Wilfrido goza del favor del rey, y Ricardo es tan justo como generoso.

—No lo pongo en duda, noble dama. Pero el pueblo de Inglaterra es una raza altanera y afecta a las rebeliones. Este país no puede ofrecer asilo seguro a los hijos de mi pueblo...

—Pero vos, doncella, ¿por qué abandonáis el país? Vos no tenéis nada que temer en Inglaterra.

—Mi determinación está tomada, noble dama. Hay un abismo entre nosotros. La educación, la creencia religiosa, todo conspira para separarnos. Adiós. Pero, antes que me separe de vos, concededme una gracia: levantad ese velo que me impide ver las facciones que gozan de tanta fama.

—No merecen fijar en ellas la mirada —dijo lady Rowena—; pero no me negaré a complaceros, a condición de que vos me concedáis el mismo favor.

Las dos levantaron su velo.

—Noble dama —dijo Rebeca a lady Rowena—, las facciones que os habéis dignado enseñarme vivirán mucho tiempo en mi memoria. La dulzura y la bondad reinan en ellas..., y bendigo al cielo por dejar a mi libertador unido a...

❖ ❖ ❖ ❖

Le faltó la voz y las lágrimas rodaron por sus mejillas. La judía se apresuró a enjugarlas; y al preguntarle con preocupación lady Rowena si se encontraba indispuesta, le respondió:

—No, noble dama; pero no puedo pensar en el campo cerrado de Templestowe sin experimentar gran emoción. ¡Adiós! Pero aún he de haceros otro ruego: aceptad esta cajita y no desdeñéis llevar lo que contiene.

Con estas palabras le ofreció una pequeña caja de marfil con adornos de plata; lady Rowena la abrió y encontró en ella un collar y unos pendientes de diamantes de inmenso valor.

—Es imposible —exclamó lady Rowena, intentando devolvérsela— que yo acepte un presente tan valioso.

—Conservadlo, noble dama —insistió Rebeca—; yo no volveré a llevar semejantes joyas.

—¿Sois tan desgraciada? —inquirió lady Rowena, sorprendida por el tono de estas palabras—. Quedaos con nosotros. Los consejos de hombres piadosos os convertirán a nuestra santa fe y yo seré una hermana para vos.

—No —dijo Rebeca, con melancolía—, eso no puede ser; no puedo abandonar la religión de mis padres como un vestido que no se adapta al clima donde se vive. Pero no seré desgraciada. Aquél a quien en adelante consagraré mi vida me consolará si cumplo su voluntad.

❖ ❖ ❖ ❖

—¿Tiene conventos vuestro pueblo?

—No, noble dama; pero desde los tiempos de Abraham ha habido en nuestra nación santas mujeres que se han dedicado a aliviar los sufrimientos humanos. Entre ellas se contará Rebeca. Decídselo a vuestro esposo, si quiere informarse del destino de aquélla a quien ha salvado la vida.

Había un temblor involuntario en la voz de Rebeca, una manifiesta de ternura en su acento, que quizá dijeran más de lo que quería. La judía se apresuró a poner fin a aquella escena.

—Adiós —volvió a decir a lady Rowena—; que el Padre común de los judíos y de los cristianos pueda esparcir sobre vos todas sus bendiciones.

Se retiró y dejó a la bella sajona tan asombrada como si hubiese visto una visión. Lady Rowena refirió esta singular conversación a su esposo, en el ánimo del cual produjo viva impresión.

La unión de Ivanhoe y de Rowena fue larga y dichosa. Sin embargo, sería llevar la curiosidad demasiado lejos preguntar si el recuerdo de los encantos y de la magnanimidad de Rebeca no se presentó en el ánimo de Wilfrido con más frecuencia de lo que la hermosa descendiente del rey Alfredo habría deseado.